On Meditation

Sri M

Finding Infinite Bliss and Power Within

オン・メディテーション

現代を生きるヨーギーの瞑想問答

シュリー・エム

青木光太郎 訳

蓮華舎 Padma Publishing

オン・メディテーション

現代を生きるヨーギーの瞑想問答

シュリー・エム 著
青木光太郎 訳

蓮華舎

On Meditation
Finding Infinite Bliss and Power Within
by Sri M
Originally published by Penguin Random House India

Published in Japan by agreement with Penguin Random House India

瞑想は、心の条件付けを取り去り、
本来の状態に戻すための実践です。
それによって、無限の命の源泉と叡智に繋がり、
永遠に続く真の幸福に至ることができるのです。

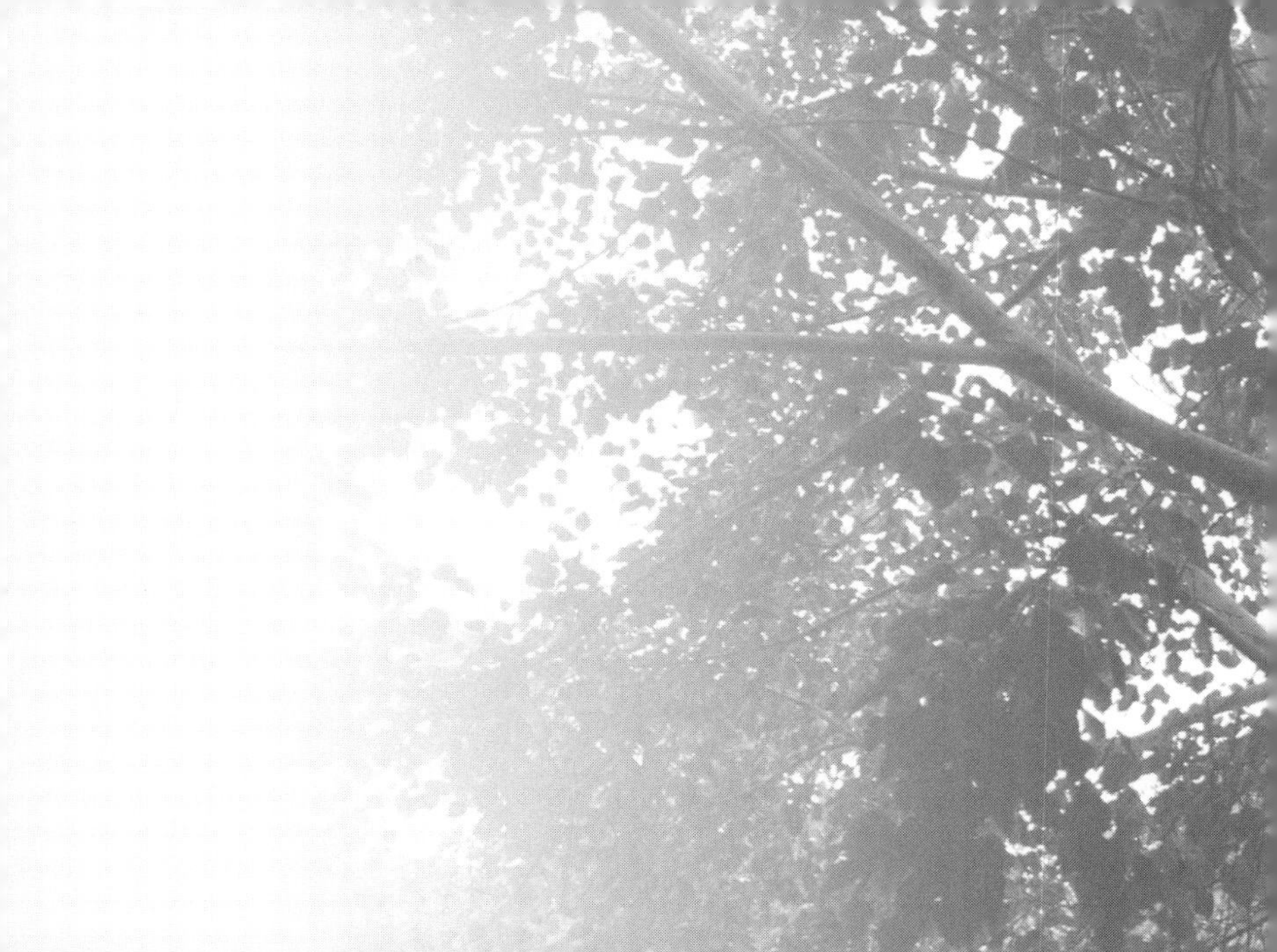

ピーパルの木 ©Akiko Otsu
Guru Purnima 2017 ©Satsang Foundation

オン・メディテーション

現代を生きるヨーギーの瞑想問答

目次

1 なぜ瞑想をするのか

2 どのように瞑想をするか

③ 瞑想の姿勢と実践

④ 瞑想中の体験

⑤ 心の性質と心を静めるための方法

⑥ 瞑想における障害物

⑦ 瞑想と日常生活

⑧ 瞑想の助けとなる実践

⑨ 瞑想における師と恩寵の役割

出版に関わってくださった全ての人たちに本書を捧げます。

1

なぜ瞑想をするのか

瞑想とは何ですか？

「瞑想」は幅広い意味を包含しています。古代インドの賢人、パタンジャリによる『ヨーガ・スートラ』の経典には「ダーラナ」、「ディヤーナ」、「サマーディ」という三つの言葉が出てきますが、瞑想という言葉には全ての意味が含まれています。これについては後に詳しく記しますが、ダーラナとは、一つの対象に意識を集中させる修練や能力のことです。この一点集中の能力が持続され、集中が深くなると、ダーラナはディヤーナとなります。ディヤーナが維持されるようになると、サマーディの状態が経験されます。

瞑想とは何かと質問する人々のほとんどは、具体的な瞑想の技術を知りたいと思っているのです。また、一般的に瞑想について語られるとき、パタンジャリの『ヨーガ・スートラ』に言及されている全ての要素がひとまとめにされて考えられています。実際の瞑想の体験は実践を通してのみわかるので、人によって体験の内容も異なります。しかし、瞑想法や技術を学ぶところから始めるのは、瞑想の実践の手助けにはなります。こうした実践を定期的に、長い期間で続けることを、パタンジャリはナイランタリヤ・アッビャーセーナ、そしてディールガカーレと言いました。

パタンジャリのいう集中状態を、全く気を散らすことなく、長い間保てるようになると、瞑想をしていることすら忘れるような意識の状態が経験されます。

これが瞑想です。この状態では、意識を集中している対象、瞑想をしている行為者、瞑想の過程が全て一体となります。この状態を経験すると、瞑想に関する様々な定義はただの段階、技術に過ぎないことがわかるようになります。追い求めるものもなく、手に入れるものもありません。ただそこに「ある」という状態になり、全ての動きが止まります。

瞑想は、正しい実践によってのみ到達されます。このことを忘れてはいけません。それまでは具体的な瞑想法や技術があなたにとっての「瞑想」になります。本を読んでいるだけではわかりません。最初の段階では読書も手助けにはなりますが、実践の継続が一番大事です。長い期間、定期的に修練しなければなりません。

瞑想を続けていくと、ある段階において素晴らしい体験が得られます。どこで、どのような状況で、何をしているかにかかわらず、あふれるような至福が常にあなたの内側に流れるようになるのです。この至福は一度得られれば常にあなたと共にあり続けます。これが瞑想において私たちが目指している状態で、ウマル・ハイヤームの『ルバイヤート』にも描かれている至福なのです。この状態を体験するためには、忍耐強さと一点に集中された意識が欠かせません。

なぜ瞑想をすべきですか?

瞑想がもたらすものについて語る前に、ある寓話を紹介しましょう。

あなたは歩道に立っています。目の前には老人がゆっくりと道路を横切っています。彼は年老いていて、弱々しく、何枚もの汚れた服を重ねて着ています。息を切らしながら歩く彼の様子からして、物乞いの人のように見えます。今にも崩れ落ちて道端で息を引き取りそうなほどです。しかし、老人が道路を渡りきる前に、彼の姿に気が付かない様子でバスが近づいてきました。ぎりぎりのところで老人に気が付いた運転手は急ブレーキをかけて、大きなクラクションを鳴らしながら止まろうとします。しかし、十中八九、彼の死は決まったようなものでした。動くことすらままならず、今にも道路に倒れそうなほど弱々しい様子だった老人は、なんと、バスが目の前に迫ったとき、世界記録を更新しそうなほどの大ジャンプをしてバスをかわしたのです。

弱々しい老人のどこからそんな力が出てきたのでしょう? 次の一歩を踏み出すのもやっとのように見えた老人です。死の危険が迫ったとき、彼に一体何が起きたのでしょう? 世界記録級の大ジャンプをして、彼が道の向こう側に渡ることができたのはどうしてでしょう?

この現象の説明はいくつかあります。まず、彼は生存本能に従って死の危険を回避したというものです。しかし、そんな力が彼のどこにあったのでしょう?

　または、医学的・生物学的な説明があります。人間の脳には大脳辺縁系という、身の危険を知らせて、反応する部分があります。これは爬虫類の脳にも備わっている原始的な脳の機能です。大脳辺縁系が反応することで人間は危険に対処します。具体的には、大脳辺縁系のスイッチが押されて、大量のアドレナリンを脳内に放出するようになっています。この説に従うならば、老人はアドレナリンの影響によってバスをかわすことができたのだと言えます。これが医学的・生物学的な説明です。


　最後に、ヴェーダ・ヨーガ的な説明を考えてみましょう。老人は、自分は年老いて、弱々しく、今にも倒れそうな状態だという、過去の経験に基づく固定観念に縛られていました。いつもであれば彼の意識は固定観念の影響下にありましたが、死の危険がすぐそこまで迫った特殊な状態で、彼は普段の「できない」という思い込みから自由になったのでした。

　思考は強力な武器です。思考は人間を縛ることも、自由にすることもできます。例えば、老人が通常の思考に縛られていたとしたら、彼は自分の状態を理性的に判断して、バスを避けるためにジャンプをしようなどとは思わなかったことでしょう。しかし、死の危険が迫った瞬間に、彼には考える時間などありませんでした。自分の状態や限界に関する思考はなくなっていたのです。

　思考は人間の可能性を狭めることも、広げることもできます。ただ、全く思考をしてはならないとか、思考をしなければならない、などと言っているわけではありません。特に、自称「グル」を相手にするときなどは、思考を止めてはいけません。しかし、この老人の例においては、通常の思考の縛りを超えて、身の危険を回避するために莫大なエネルギーが生まれたことは確かです。このエネルギーのおかげで老人は大ジャンプができたのです。

実は、老人が偶然にも用いた莫大なエネルギーは、段階を踏んで準備をすれば、私たちの人生にも活用できるのです。

そのためにはまず、人間の意識を縛っている限定を取り払い、意識が拡大されなければなりません。そして、この無限の可能性を秘めたエネルギーと繋がるために、拡大された意識を用いるのです。「私とは身体である」「私は男である」「私は女である」「私は子どもである」「私は老人である」といった既成概念から一時的にでも開放されたときに、私たちは内側に眠るエネルギーの源に近づくことができます。幸運なことに、このエネルギーは苦痛ではなく、至福に満ち溢れたものです。

人間の文明、特に内面の探求を深めてきた東洋では、何千年も前から人々は自身の内側に全てのエネルギーの源があるという事実を繰り返し発見してきました。全ての限定から解き放たれた純粋な意識、そして光の瞬きのような至福が私たちの存在の中心にはあります。この中心に触れるためには次のような既成概念から意識が自由にならなければなりません。「私は限定された存在である」「私とは身体である」「私には限界がある」。

このための過程は哲学的であり、また実践的でもあります。

まず、少しの間でも良いので、自分を縛っている思考から自由になり、エネルギーと至福の満ち溢れた状態を維持する必要があります。自分の存在の本質に迫ること、これが魂の成長のための実践の目的です。この本質は外側ではなく、私たちの内側にあります。発見するしないにかかわらず、この本質は全ての存在にあるのです。瞑想の実践によって私たちは存在の本質に近づくことができます。

人々が瞑想を始める理由は何ですか？

人々が瞑想を始める理由は様々です。

まず、何かしらの目標を達成する手助けとして瞑想を始める人々がいます。何かを達成したいと強く願うとき、私たちは次のようなプロセスを経験します。目標を達成するために精一杯の努力をして、ある活動や仕事により深くのめり込みます。目標に向けて努力するとき、当然ながら、そこには障害物がありますこの障害物を乗り越えながら、私たちは目標に近づいていきます。これは瞑想も含めて、全ての日常生活に共通する事実です。しかし、もし目標を達成できなかったとき、私たちはどうするでしょう？　私たちはストレスを感じます。何かの出来事や人物が目標達成の障害物になるとき、そこにはストレスが生まれ、衝突が起きます。

このような日常を生きる人々は、瞑想をすることでストレスに対処しようとします。もし瞑想でなければ、他の形のストレス対処法を見つけることでしょう。例えば、飲酒も対処法の一つです。人々が仕事帰りにお酒を飲むのは、その日のストレスを解消したいからです。「少しリラックスして、仕事や世の中のことは忘れてしまおう！」こういう気持ちで人々はお酒を飲みます。お酒に酔うと神経がほどよく麻痺して、ストレスや日々の出来事を忘れることができます。そして、お酒が回っている間は良いのですが、次の日に目を覚ませば二日酔いが残っており、その夜も同じことを繰り返します。

このようなストレス対処法の代わりに瞑想をするというのは、良いアイデアかもしれません。もちろん、ストレス対処法としての側面は瞑想の一部分ですが、瞑想の全てではありません。


または、老齢になって死が近づいたときに瞑想を始める人々もいます。「俗世的な生き方をしてきたが、私も老いてきたから、そろそろ死後のことを考え始めよう。死後に何が待っているかはわからない、今のうちに準備をしておこう」と考えます。

このような人々は様々な教師を訪れて、老後に何ができるかを知ろうとします。「そろそろ宗教について真剣になるべきかもしれない。私は長いこと宗教的なものから遠ざかった人生を送ってきた。今からでも宗教的な人生を送ろう。」

こうして、マントラを唱えなさいと教師に教えられれば彼らはマントラを唱え、神を崇拝しなさいと教えられれば神を崇拝します。同じようにして、瞑想をやりなさいと言われて、瞑想を始めるのです。

他には、寺院、聖地で修行者や僧侶が瞑想をしている姿に感化されて、瞑想しようという人々もいます。そのような姿に、今までにない心の平安を感じるためです。「私も瞑想をすれば、この人たちのように平安に包まれて生きられるかもしれない」と思い、瞑想を始めるのです。

そして、ヒンドゥーの家庭に生まれ育ったならば、両親が崇拝している教師がマントラを与える場合もあります。一家の伝統のようなもので、そのような人々はマントラを唱えて瞑想をしなければ罰が当たると考え、瞑想をします。

最後に、瞑想を始めるにあたり、最も重要なきっかけがあります。それは、この世の中は虚構の劇のようだと、人が気付くときです。この虚構がまたたく間に崩れ落ちる瞬間を人は体験するのです。

この気付きは自然に起こることもあります。ある人物が億万長者になる夢を持っているとしましょう。そして彼は死にものぐるいで働き、ある日、ついに夢を実現できました。けれども、億万長者になったのと同じ日に、最愛の人が亡くなったという知らせが彼の元に届きます。この瞬間、長年の夢だった億万長者の人生、この現実の意味がまたたく間に崩れ落ちていくのを彼は体験します。

このような人生の危機において、瞑想をしようという強い思いが自然に生まれてくることがあります。これは不運に見せかけた幸運なのだと私は考えます。このようなことを言う私は非情な人物だと思われるかもしれませんが、最悪のように思える出来事が、後に幸運だったとわかるということは人生に珍しくないことです。不運に巡り合わなければ、人間は自分の人生や世界の本質を真剣に考えようとは思わないのです。

もちろん、不運な出来事が起こるべきだと言っているのではありません。私が言いたいのは、事実として、不運に見せかけた幸運があるということです。

これに関して、クリシュナとナーラダの興味深い物語を紹介しましょう。

ある日、クリシュナは旧友のナーラダを散歩に誘いました。クリシュナのことだからイタズラを企んでいるのだろうと身構えながらも、ナーラダは共に散歩に出かけました。ナーラダは注意深く、クリシュナの数歩後ろを歩いていきました。

彼らは裕福な男の家の前を通りかかりました。クリシュナは言いました。「のどが渇いたから水をもらってきてくれないか？」ナーラダは言いました。「いや、待ちたまえ。何を企んでいるんだい。君のことだからイタズラを用意しているのだろう？」

クリシュナは言いました。「あとで話すよ。とにかく今はのどが渇いた。早く水をもらってきてくれないか？」ナーラダは答えました。「僕もとても喉が乾いている。二人で一緒に家の主に頼みに行こうじゃないか。」

二人は家の主に水をくれるよう頼みに行きました。扉の外に立つ二人を見て、主人は思いました。「私の家にお客がやってきた。お客様は神様だ！　おもてなしをしなければ！」彼は言いました。「どうぞ上がってください。すぐに飲み物を用意しますから。」

主人は二人に温かいミルクをふるまいました。二人はミルクを飲んで、主人にお礼を言いました。門から外に出るとき、クリシュナは言いました。「ミルクのお礼に主人に祝福を与えることにしよう。見ていたまえ。」ナーラダは安堵のため息をつきました。「よかった、彼は主人に祝福を与えるようだ。特にイタズラをするわけではないのだな。」

それからクリシュナは主人に言いました。「あなたがより健康に、より裕福に、今よりもさらに裕福になりますように！」

それから十歩ほど行かないところで、彼らは貧しい男の藁葺き屋根の小屋の前を通りかかりました。小屋と外に生える木の間にかかる紐にいくつかの服が干されている以外、他には何も所有物のないような貧乏な暮らしぶりです。

クリシュナは言いました。「のどが渇いたな。」ナーラダは思いました。「クリシュナはいよいよ何か企んでいるぞ！」

二人は小屋の中に入って言いました。「とても喉が乾いているのですが、何か飲み物をいただけませんか？」小屋の男は言いました。「もちろん、座ってお待ち下さい。終わらせなければならない大事な仕事があるので、その後でもかまいませんか？」それから彼は牛たちの体を洗いました。小屋以外には牛が彼の唯一にして最愛の所有物でした。彼は牛を丁寧に拭いてからミルクを絞り、二人の客に差し出しました。クリシュナとナーラダはミルクを飲みました。

小屋の外に出てからクリシュナは言いました。「さて、この男には呪いをかけよう！」ナーラダは言いました。「なんだって！　何か企んでいることだろうと思ったよ！　君にかけては何をしでかすか全く予想ができないな。」

クリシュナは言いました。「彼の牛は死ぬだろう！」ナーラダは言いました。「彼が君に何をしたというのだい？　親切にも彼はミルクを分けてくれたじゃないか。」

クリシュナは言いました。「友よ、君は理解していないようだ。僕が何かをするとき、君はいつも反対の意味に解釈してしまう。聞きたまえ。貧乏な男が持っている唯一の執着は彼の牛だけだ。この執着を取り除けば、彼はすぐに私の元に来ることができる。それ以外、何をする必要もないのだ。しかし、あの裕福な家の主人は神に到達するまで、長い時間がかかるだろう。だから、今しばらくの間、彼には裕福な暮らしを楽しませてやることにしたのだよ。」

クリシュナの言っていることが、不運に見せかけた幸運なのです。この「幸運」が訪れたときにはじめて、あなたは真剣に問うようになります。「私はどこに向かおうとしているのだろう?」「私は人生で何をなそうとしているのだろう?」これが人々が瞑想を始めるようになるきっかけです。人生の空虚さを経験的に理解することで、人々は真剣に自らの生き方を問い始め、瞑想を始めるのです。

または、同じような気付きに違うやり方でたどり着く人たちもいます。目をしっかりと見開き、世界を観察して、次のような気付きを受け取るのです。「一体全体、この世界とは何なのだろう? 私は現実が与えてくれる人生の意味を享受してはいるが、これもいつ終わるかもしれない。実際、他の人々に不意に訪れる人生の危機を私は見てきた。しかし、だからといって、私が同じ運命を辿る必要はないはずだ。」

幸せな人々がいる一方、多くの人々が苦しんでいます。これは単なる悲観主義的な見方ではなく、私たちが目を伏せがちな事実なのです。苦しみが世にあるのは事実です。あなたの苦しみは私の苦しみとは違う種類でしょう。しかし、共通点は悲しみがあることです。例えば、私たちが何かを楽しんでいるときでも、不幸の種は既にそこにあります。なぜなら、私たちに楽しみを与えてくれているものは、次の瞬間にでもなくなってしまうかもしれないからです。常に人生を楽しむことができないのは、至極当然な事実です。いつか全てはなくなってしまうのです。私たちが何かを楽しんでいるとき、常に背後には執着心が隠れています。幸福を失いたくないと無意識に思っているのです。このことを自分の人生経験を通して理解したとき、人々は瞑想を始めます。

真剣に世界の本質を見極めようと、瞑想を始める人々もいます。移りゆく世界の姿を直視しながら、この人々は考えます。「全てが変わっていく世界の中で変わらないものはあるのだろうか？」彼らは教師を訪ね、本を読み、経典を研究します。この現実の背後に変わらない永遠のものがある。そのように説く本や経典に感化されて、彼らは瞑想を始めます。

そして、瞑想を始めるきっかけに、とてもめずらしいものがあります。生まれてから数年も経たないような子どもが、ある日、ひとりでに瞑想を始めるのです。このような例に説明を与えることはできません。もちろん、試みるならば、理論的な説明はできるでしょう。しかし、深入りしても仕方がない、無意味なものです。経験的に証明、説明はできません。過去生や諸々の影響があると推論はできますが、全て理論上の話です。ここでは深入りしないようにしておきましょう。

あとは単純に、自然に湧き上がってくる強い欲求から瞑想を始める場合です。瞑想中に至福や喜びが感じられ、瞑想を続けます。

さて、以上が人々が瞑想を始めるきっかけです。または、瞑想をしたいと思うようになる経緯とも言えます。過去に瞑想をしたけれどもやめてしまった人が、また再開しようという場合も、この中に含まれるでしょう。

人生の困難や病気、負の感情や鬱の対処に瞑想は有効ですか？瞑想の役割とは何ですか？

人々が「瞑想」というとき、この言葉は様々な意味で用いられます。あなたの質問も、瞑想の意味に関する混乱に由来しています。

健康改善のため、悟りを得るため、または幸せになるため。今日、様々な文脈で瞑想が語られています。身体的な病を治すために瞑想をする人もいるそうです。ただ静かに座って何かの問題について考えるのも、巷では瞑想だと言われています。瞑想に関して、世の中には実に様々な意見や見方があるようです。

瞑想について説明する前に、まず、言葉の意味から考えてみましょう。瞑想という言葉は使う人によって様々な意味を持ちます。はじめに見てきたように、古代インドの原典を参照すると、三つに分けられています。ダーラナ、ディヤーナ、サマーディです。瞑想という単語はこの三つの意味を含んでいます。

まず、はじめにダーラナです。ちなみに、これからする説明を注意深く読めば、あなたの質問に対する答えが書かれていることがわかるでしょう。

ある対象に意識を集中させ、他の思考や外側の世界に気を取られず、集中した状態を保つこと。これがダーラナです。ダーラナは訓練によって可能になります。通常、人間の心は常に何かに気を取られて、散漫な状態になっているからです。ただ、何か興味のある活動をしている最中は、気が散ることもなくなります。

ダーラナは一点集中を意味する言葉です。集中する対象が興味関心のあるものなら、自然に一点集中の状態となるでしょう。興味がなければ集中するのは難しいことです。何かしらの瞑想法、テクニックを使って、集中した状態を保つ必要がでてきます。方法は対象物に意識を集中させるための補助的なものです。日々の訓練を通してのみ一点集中は可能になります。近道はありません。

ダーラナにおける一点集中の対象は物体、考え、音、またはイメージでもかまいません。他にも選択肢はありますが、これらが主な対象物です。どんなものを選んでもかまいません。もし対象物があなたの好きなものなら、集中するのはより簡単になります。

例えば、美しい緑と黄色の鳥が庭にいるとします。口を開けて見惚れるほどに美しい鳥です。誰に言われるでもなく、あなたは自然にダーラナ、一点集中の状態となっています。このように、あなたが本当に興味関心のあるものを対象に選ぶことが重要です。もし悟りを本気で求めているならば、あなたにとって悟りは、たとえに出てきた鳥のような魅力を持っていることでしょう。これほどの魅力を感じないのであれば、おそらく悟りにはまだ早いのです。他にも対象物はいくらでもあります。
あなたがダーラナを既に習得しているならば、このための修練は必要ありません。そうでないならば、一点集中の状態は意識的に訓練されなければなりません。例えば、庭にいる一羽の鳥の周りに他の何羽かの鳥がいるとするならば、どうやって一羽の鳥のみに意識を集中させますか？これができるようになれば、一点集中の状態が習得されているのです。

この段階でパタンジャリのヨーガの体系に繋がっていきます。修練を重ねることで、一点集中が途切れずに維持されるようになると、ディヤーナの状態となります。
ディヤーナの語源は「ディ」、瞑想するという動詞です。壺から「ダーラ」、つまりオイルを注ぐようにしてダーラナが途切れることなく持続されれば、ディヤーナとなります。本気で対象に興味があれば、ディヤーナは自動的に起こります。そうでなければ、ダーラナの修練を通してディヤーナの状態に到達することになります。

最後にサマーディです。サマーディとは、対象に完全に没入して、自分の存在を全く忘れてしまう状態にあることです。もはや主体と客体の区別は存在しません。全てが一つになるのです。
これがサマーディです。

身体的な健康のために瞑想をすべきでしょうか？　もし体調が優れないのであれば、体調不良の状態を注意深く観察して、意識を集中させることで、健康に関するダーラナの修練になります。注意深い観察を通して治療法が見いだされるかもしれません。もちろん、瞑想は直接的な治療にはならないかもしれません。しかし、ダーラナによって、どのように健康に気を遣うべきかは明らかになることでしょう。

一般的に、瞑想は心を静めるために行われます。人間の心は常に忙しく、あちらこちらに動き回っているからです。瞑想中だけでなく、日常生活の中でも心を落ち着いた状態に保てるようになることが、瞑想の一般的な目的です。もちろん、瞑想中に心が静かになるだけでも十分ではありますが、日常生活の喧騒の中でも同じ状態が保てればさらに良いでしょう。

瞑想の第三の役割は、悟りを開くことです。ダーラナ、ディヤーナ、サマーディは悟りを開くために欠かせない段階です。パタンジャリが『ヨーガ・スートラ』で使った言葉ではありますが、他の伝統や文献でも、同じ状態が違う言葉を用いて説明されています。『ヨーガ・スートラ』で「悟り」とはどのように定義されているのでしょう？　これは、心を散漫にさせる思考の影響を取り除いて、静かな状態の心に至ることです。それにより、私たちの本質は静謐《せいひつ》なものであることがわかります。これがパタンジャリのいう悟りです。

悟りといっても、常にじっと座っていなければならないわけではありません。悟りとは常にそこにあり、バスや電車の中にいようとも変わりません。真の平安と至福を見出すことで探求は終わるのです。しかし、だからといって停滞してはいません。毎分、毎秒、全ては変化しているのです。変化と共に流れ、生きることが瞑想の究極の応用形だといえるでしょう。

もちろん、ストレス解消のためにも瞑想は使えます。しかし、このような目標は一過性のものだと覚えておかなければなりません。

くり返しになりますが、瞑想の重要なキーワードは、ダーラナ、ディヤーナ、サマーディです。サマーディの状態は完全な没我です。私という主体はもはや存在せず、対象と一つになるのです。

マインドフルネスとは何ですか?

「マインドフル」とは美しい言葉です。ここ数年で流行りになったので、世界中の人々がマインドフルネスについて語り始めました。この流行は良いことだと思います。グーグルのカリフォルニア州ベイエリアのオフィスでは、マインドフルネス専門の部署まであります。ここ数年、私はあのオフィスで毎年のように講演をしてきました。そのうちにヤフーからも同じような講演の依頼がきました。ヤフーの本部を訪れたときに、私は「ヤフー」という言葉の意味を説明しました。これはとてもおもしろいですよ。少し話はずれますが、マインドフルネスと関係のある話です。

かつて、シリアの洞窟に、スーフィーの一派が住んでいました。インドでは「オーム」のマントラを唱えるように、彼らには独自のマントラと呼吸法の修練がありました。このスーフィーの人々は「フー」のマントラを唱えていました。東洋を研究していた学者たちが洞窟を訪れたとき、「フー、フー」と言いながら座るスーフィーたちを見て、学者たちはハウリング・ダーヴィッシュ、つまり「唸るスーフィーの僧」と名付けました。狼のような唸り声をあげていたからです。しかし、スーフィーの教えによれば、「アッラー」を意味するアラビア語の末尾の音は「フー」です。アラビア語で「アル」は英語でいう冠詞の「ザ」で、「ラー」は否定である「ノー」を意味します。つまり、「アッラー」は最も純粋な否定、「ザ・ノー」の意味なのです。仏教でいう

「空」の概念の意味に近いでしょう。ここに「フー」を付け加えると「フー以外に何者でもない」という意味になります。唸るスーフィーの僧たちは「フー」と唱え、そして時には「ヤ」と唱えていたそうです。アラビア語で「ヤ」は「オー！」という感嘆の表現です。少し長くなりましたが、「ヤフー」という会社の名前はアラビア語で「オー！　フー」という意味になるのです。

先日、メルボルンの神智学協会で講演をしてきました。講演のお題は「マインドフルネスのその先」です。マインドフルネスというとき、これは瞑想の一種で、全ての思考、全ての呼吸を観察者として意識するものです。これは上座部仏教ではヴィパッサナーと呼ばれ、呼吸を観察する瞑想を意味します。呼吸は人間が生まれてから死ぬまで常に共にあるのですが、私たちはめったに呼吸を意識しません。しかし、呼吸ほど生命の維持に欠かせないものはないでしょう。食料や水を抜きにしばらくの間生きることはできますが、呼吸を数分もしなければ私たちは死んでしまいます。この呼吸に意識を向け始めるとき、私たちは「マインドフル」となるのです。息を吸って、息を吐く、この繰り返しに意識を集中させます。これがマインドフルネスの一種です。

魂の修養のためには、内面のマインドフルネスに加えて、外側に対するマインドフルネスも必要になります。これは外の世界、私たちの言葉、行動、他人への態度を常に意識するものです。例えば、私が講演では内面の平安について熱く語っていたとして、家に帰るなり妻に尊大な態度をとっていたらどうでしょう。これはマインドフルネスが欠けている証拠です。内面のマインドフルネスは外側、つまり私たちの言葉と行動に表れなければなりません。だからこそ、世界の偉大な師たちは、規則や決まりに沿って生きるようにと言ったのです。師の言葉を常に意識して生活を送るのも、マインドフルネスを鍛える方法の一つです。

外側に対するマインドフルネスについてもう少し考えてみましょう。日常生活で私たちが不用意に使う言葉が、いかにトラブルの原因となるかは、誰もが経験済みのことかと思います。発する言葉には常に配慮をすべきです。注意深くなりすぎるくらいで大丈夫です。例えば、こうやって私が語っている言葉は、あたかも何の努力もなしに発せられているかのように思われるかもしれません。しかし、私は自分が何かを言う前には、常に注意深く言葉を吟味するようにしています。私は自分自身に常に問います。たとえ真実を語っていたとしても、私の言葉が誰かを傷つけたりはしないだろうか？

言葉によるトラブルは数限りありません。物理的に人を叩いたり、打ったりしても相手は数日で忘れるかもしれませんが、言葉による傷は一生を通して残ります。ですので、何かを言うときは、自分の言葉の意味を吟味してください。これは魂の成熟においても重要なことなのです。ただ座って瞑想をしていれば進歩するわけではありません。

人間の内面の状態が原因となっている世界中の問題の数々は、もし外側に対するマインドフルネスが実践されれば、八割はなくなるでしょう。このために気を付けるべき三つの大事な点があります。

まず、口を開く前に言うことを吟味しましょう。少なくとも三十秒ほど、自分の言葉が相手にどのように受け取られるかを事前に考えるのです。

自分は誰に向かって言葉を発しようとしているのか？　これが第二の点です。言おうとしている内容そのものに問題はなくとも、聞き手がふさわしくない場は多々あります。例えば、人類で最後の預言者である人物に関して確固とした考えをもっている人に対して、「いや、そんなことはない。彼のあとにも預言者はいただろう！」と言ったらどうでしょう？　真実かもしれませんが、この人に対して言うべきことではありません。すぐに言い争いが勃発することでしょう。ですので、まず言う内容を吟味して、次に話す相手を選ぶことが大事です。

それから、発せられる言葉に適した状況なのか？　これが第三の点です。あなたが真実を話していて、聞き手も相応しかったとしても、状況が正しくなければいけません。例えば、この聞き手が家庭で大喧嘩をした直後だったらどうでしょう？　この人は普段と異なる反応を示すことでしょう。

もちろん全ての場合で実践ができるわけではありません。しかし、以上の三点を意識したマインドフルネスの状態で過ごせば、日常生活でのたくさんの問題は解決されることでしょう。もちろん、「そんなこと誰が気にするものか。自分の好きなようにやるよ」という人もいるでしょう。しかしながら、こういう人は同じ過ちを繰り返し続け、円をぐるぐる回って、同じ場所にまた戻ってきてしまいます。そうして、ため息をつきながら言うでしょう。「どうすればいいのだろう？」

人は変われるのだと私は思います。過去に起こったことは全て手放して、今をただ意識するのです。そうすれば未来は変わります。

このように、内面のマインドフルネスと外側のマインドフルネスの両方が大事なのです。この二つを組み合わせて生きるのが、マインドフルネスです。

マインドフルネスを実践している人は穏やかです。この人の心は落ち着いているからです。このような人の心を乱して、怒らせることなどは不可能です。なぜなら、他の人々と自分を別の存在ではなく、本質的に一つとして見ているからです。

それでは、何故に人々は互いを違う存在だと考えてしまうのでしょう？　それは、個人の心自体が、ヒビが入ったかのようにたくさんのかけらに分裂している状態だからです。分裂した状態の心には争いと混乱があり、たくさんの思考の間で衝突が起きています。「私はあれをしたいけれども、あの人が許してくれないからできない。これは絶対にしたくないけれども、この人の命令でやらなくてはいけない。」このような思考の衝突は幼年期から既に始まっています。

例えば、あなたの子どもが音楽に並外れた情熱を持っているとします。しかし、あなたは子どもに医者になってほしい。なぜなら医者はたくさんお金を稼げる職業だからです。こんなときにどうしますか？　あなたはきっと音楽家よりも医者になるように子どもに言うでしょう。

もちろん、このような場合でも、誰もが分裂、衝突した心の状態にあるわけではありません。実際、ニューヨーク州のロングアイランド地区に住んでいる、私の知り合いの医者の例があります。彼女は幼いとき音楽が大好きでした。しかし彼女の両親は医者で、医者になってもらうために彼女に医学の道を歩ませることにしました。これは特にインドではよくある話です。そして彼女は現在、とても評判の良い優秀な医者として活躍しています。多くの場合、このような親の強制に対して、子どもは後々に怒りや暴力的な感情を示します。しかし、この友人は違いました。幸運なことに、彼女は自らピアノを購入して、自由な時間にピアノを弾いたり、演奏を聞いたりしています。「ピアノを弾いているときが人生で一番幸せなとき！」と彼女は言います。環境のために自分の願いが叶えられなかったという問題を、うまく解決した良い例です。

意識は全て根源では一つであり、分断は人間が作り出したものに過ぎないと理解できたとき、そして、あなたの心が落ち着いて静かになり、外側と内面のマインドフルネスを実践して、呼吸が常に意識されるようになったとき、あなたの意識は真に一つへと統合されていきます。そこには自と他の違いはなく、ただ一つの意識があることを、あなたは経験的に知るのです。

これは形而上学的な理論に聞こえるかもしれませんが、実はとても自然なことです。

「私たちは全て一つであり、意識は繋がっている」と私が言えば、あなたは「個々の意識は違うものだ。私と友人の意識は違っている。どのようにして意識がただ一つになるのか？」と問うかもしれません。

それでは、この点について、詳しく考えていきましょう。

私が何かに対して怒っているとき、あなたは他の何かに怒っているかもしれない。私が誰かに妬みを抱いているとき、あなたは他の誰かに妬みを抱いているかもしれない。私が何かを恐れているとき、あなたは他の何かを恐れているかもしれない。心理的な反応の対象は人によって違うものでしょう。しかし、共通点はどこにあるでしょうか。恐れ、怒り、妬み。または良心であるかもしれません。私が誰かを愛しているとき、あなたは別の誰かを愛しているかもしれない。愛する対象は違うかもしれませんが、愛という点は共通しています。

このことを注意深く観察してみると、全ての人間に共通した感情があることがわかります。感情が向けられる対象は違うかもしれませんが、基本的な感情の種類は同じなのです。

意識はただ一つでありながら、私たちはこの意識を異なる特性、異なる人格、異なる部分に分けてしまっています。しかし、全ては一つの意識の内にあるのです。この見方に従って考えてみれば、部分の一つが少しでも変化すれば、全体になんらかの形で影響を及ぼすのだとわかるでしょう。

いくつかの例を用いて考えてみましょう。あまり好ましくない状況があるとします。この状況下において、ある力強い人物が、彼の思考の力によって他の人々の集合意識に影響を与えられるとします。例えば、この思考の力によって、彼は何千人もの人間をガス室に送って殺すこともできるのです。必要なのはたった一人の人物です。反対に、一人の良い人間が何千人もの人間の意識に影響を与えることもできます。彼はこう言います。「あなたを蔑《さげず》む人々のために祈りなさい」と。もちろん、これは簡単なことではありませんが。

「全ては一つの意識なのだ」という真理に到達した人物が、時折地上に現れます。この人物が努力して真理を得たのか、天性のものであるかはともかく、彼らにとって自と他の境界線はもはや存在せず、ただ一つの意識があるだけなのです。このため、意識の一部分に何かしらの作用を与えれば、全ての部分に影響が及ぶのを彼らは知っています。

マインドフルネスを実践しようとする人々は、このことを頭に入れておくべきです。もしあなたが世界をより良い場所にしたいのであれば、あなたの満足のゆくまで社会の改革を行うのも良いかもしれません。しかし、あなたの心が変わらないままで、人間の本質に近づくことなく、意識こそが私たち全員の共通点なのだとわからなければ、どれだけ外側の現実を変えても暴力や争いはなくならないでしょう。私たちは自分自身の心を変えるところから始めなければいけないのです。マインドフルネスの実践が必要なのです。

私の心が常に内面的な争いの状態にあったら、どのようにして外側の現実に起きている争いに対処できるでしょう？　武器を捨てて、内面の平安を求めてみてはどうでしょうか？　もし一人の人がこのようにできたのならば、たくさんの人が影響を受けます。このために、私たちは内面の変化から始めるべきなのです。

マインドフルネスは外側にあり、また、内側にもあります。この両面が統合できたときに、あなたは真のマインドフルネスの中にあります。このマインドフルネスの状態を保つことができれば、通常の意識の次元を超えた意識の状態を経験できるようになります。

マインドフルネスに関して、あるお話を紹介しましょう。これは実際にあったことです。物語形式にした方がおもしろくなるので、お話の語り口で始めましょう。イエス・キリストも寓話を用いて教えを説きましたね。

数年前、私はインドのカンニャクマーリからカシミールまでの約七五〇〇キロを、人々と共に歩きました。この巡礼の前に、ダライ・ラマ法王に会う機会がありました。

ダライ・ラマ法王に会い、私は法王の謙虚さに驚かされました。法王はノーベル賞の受賞者であり、何百万もの信者がいる立場にもかかわらず、扉の前に立って客人の私を出迎えてくれたのです。

「ようこそ、どうぞこちらへ」と言って、部屋の中へと私を案内してくれました。このとき私はただの無名の人物で、法王よりもずっと年下でした。私に対して謙虚に接する理由は全くなかったのです。法王の謙虚さはどこからきていたのでしょう？　それは、法王のマインドフルネスの状態にあります。マインドフルである人は、常に自らの言動に気を配るようになります。

ダライ・ラマ法王と私は部屋の中に入りました。私は、どこに座るべきか、靴を脱ぐべきかを決めかねていて、「靴を脱ぎますね」と言いました。法王は丁寧に聞きました。「私は靴を履いたままですが、よろしいですか？」と。私たちは向かい合って座りました。このときの面会の様子はインターネットの動画に記録されているかもしれません。法王は私の自叙伝（『ヒマラヤの師と共に』蓮華舎刊）を手に持っていて、「この本にサインをお願いしたいのですが」と言いました。私はそれから本にサインをしました。法王はサインされた自叙伝を手に持ち、少しの間本を自分の額に当ててから、脇のテーブルに置き、それから私に言いました。「これからあなたは歩いてイ

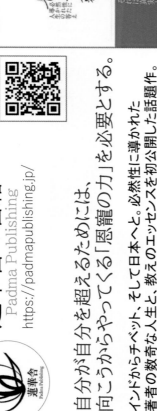

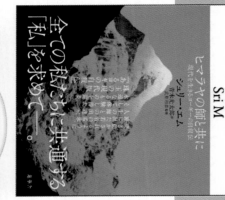

ンド全土を回るのですね?」

私は言いました。「はい。」

法王は言いました。「しかし、なぜ歩くのですか? 長い巡礼の旅は身体にもこたえるでしょう。」

私は答えました。「やらなくてはならないのです。私には歩かなければならない理由があるのです。」

法王は言いました。「わかりますよ。かつて偉大な師たちは各地を歩いて訪れました。仏陀もかつてインド全土を歩きました。今の私は残念ながら歩くことができません。膝を悪くしてしまって。」

巡礼への参加を促すために私が訪れたのだと法王が考えておられるのかもしれないと思い、私は法王に言いました。「法王が一緒にお歩きになられる必要はございません。」

法王は言いました。「よろしい、あなたは覚悟を決めているようだ。是非ともやりなさい!」

私は言いました。「わかりました。」

法王は言いました。「菩薩の祝福があなたと共にありますように。」

これが会話の終わりのようだと私は思いました。外ではたくさんの人々が法王との面会を待っており、なかには外交官や政府の重要人物もいました。私は立ち上がり、合掌をしながら言いました。「ありがとうございました。法王、またお会いできればと思います。」

法王は言いました。「あなたはもうどこかへ行ってしまうのですか?」

私は言いました。「たくさんの方々が外で法王との面会を待っておられます。」

法王は言いました。「そんなことはありません。どうぞ座ってください。話をしましょう。」

私は再び座り直し、ダライ・ラマ法王との議論が始まりました。

私は法王にウパニシャッド哲学の概念の説明をして、人々が求める至高の実在は常に今ここにあるのだと語りました。ウパニシャッドのなかで次のような一文があります。「それは遠くにありながらも、すぐそばにもある」。このヴェーダの教えが説く至高の実在が、仏教でいう「空」の概念と同じなのだろうかと、私はダライ・ラマ法王に尋ねました。

私は聞きました。「仏教でいう空は、無と同じことでしょうか?」

法王は答えました。「いいえ、全てが立ち現れ、戻っていくところが空です。これは無にはなりえません。しかし、空は一般的な意味での存在ともまた違います。」

私は言いました。「仏教での表現は空、ヴェーダでの表現はプールナ、つまり遍満《へんまん》です。同じものを語るのに二つの表現の仕方があります。言葉では表すことができないために、仏教徒は空という表現を用いました。ウパニシャッド哲学もこの点では同意しています。仏教徒はこの至高の実在を空と言い、ヴェーダの教えは遍満と言います。」

法王は言いました。「そうですね、この点において私たちの意見は同じです。」

私は続けました。「しかし、ウパニシャッド哲学には、この実在に関して興味深いことが記されています。空または遍満なるものは、意識によっては到達できない、と。」

法王は言いました。「しかし、意識によって到達できなければ、そのようなものが私たちにとって何の意味を持つのですか？　人間には意識以外に使える手段もないでしょう！　意識で到達ができないのであれば、至高の実在であるブラフマンが向こう側にあり、私たちはこちら側にあり、それでお終いになってしまいます。」

法王の答えを考えてから、私は言いました。「法王、私の理解する限り、ブラフマンは通常の意識によっては到達できないという意味なのだと思います。」

法王は言いました。「そうですね。その点をはっきりとさせなければなりません。通常の意識では到達できないが、成熟した意識であれば理解できることを。」

私は言いました。「その点は私も同意します。」

ダライ・ラマ法王は言いました。「この成熟した意識こそが慈愛の心なのです。」

ダライ・ラマ法王の言うように、マインドフルネスの実践の先にあるのは、慈愛の心なのです。真のマインドフルネスと慈愛、思いやりの心は、定義され得るものを超えた状態に、意識を導くことができます。これが「マインドフルネスとその先」でしょう。

2 どのように瞑想をするか

どのように瞑想をすべきですか？

段階を追って説明していきましょう。

まず、真理や神に関する信仰の形は人それぞれです。ある人は姿形をもつ神を超越的な存在だと信じ、また、別の人はこれを純粋なエネルギーとして捉えます。仏教徒はこれを空と呼び、キリスト教徒は超越的な存在の具現化をイエス・キリストとして崇拝します。また、ヒンドゥーには主に三十三もの神の姿形があり、女神やシャクティ、またはガネーシャを神として信仰したりします。全てに遍満している至高の実在――ブラフマンを神としている人たちもいます。ここでの信仰の形の違いは本質的な問題ではありません。

何を神、超越的なものとするかは人によって異なるので、信仰の形が違うのは自然なのです。しかしながら、この何かを知ろうとするならば、ただ頭の中で抽象的な定義を考えていても仕方がありません。「ブラフマンは遍在する至高の実在なのだから、私もブラフマンと同じであって、この事実を理解すれば私自身もそこに到達できる」と思っているだけでは、どこにも行き着かないのです。考えることは個人の自由ですが、どのように到達するかを見つけなくてはなりません。

本書の中で、ダーラナ、ディヤーナ、サマーディが、この神聖なる何かに到達するための道の一つだと説明しました。瞑想をするのは、あなたにとっての神聖なるものに、どのようにして意識を完全に集中させるかを学ぶためです。神聖なるものとの繋がりを頭の中で理解しているだけでなく、そこに到達するための実践が瞑想なのです。例えば、先のブラフマンの例のように、「神と自分は同じ存在なのだ」と唱えているだけでは何も変わりません。そのように軽々しく考えるのは危険ですらあります。神と自分を同一視することで、その人のエゴが肥大化してしまうからです。それよりも、自分はまだブラフマンと一体ではないけれども、全ての段階を経た後には到達できるのかもしれない、と考える方が懸命です。

魂の成長のための実践において、謙虚さは欠かせません。
そして、慈愛の心もまた同じように必要不可欠です。
私たちは同じ人間として互いの存在を尊重し合わねばなりません。

まず、瞑想を始めるにあたって、内なるエネルギーの源と繋がるために、あなたに合った形式や対象を選びます。この選択をしたあと、自分が選んだ形式や対象に向かって、心の中で、または実際にお辞儀をします。

この行程はとても重要です。お辞儀をすることに抵抗がある人もいるかもしれません。しかし、あなたは誰かに向かってお辞儀をしているのではなく、ただ空間に対して頭を下げているのです。誰もいない空間です。抵抗感を脱ぎ払って、お辞儀をしてみてください。座ったまま、お辞儀をした頭を床につけて、感謝の念を表しましょう。自分がこうして生きていること、衣食住が十分に与えられていることに対して、地球にお礼をします。そして、家族がいること、もしくはいないことに感謝します。口に出してもかまいません。「家族がいないおかげで私は自由でいられます。ありがとうございます」や「理解のある家族を与えてくれて、ありがとうございます」と。あなたの持つ全てを与えてくれた地球に感謝します。サンスクリット語のお祈りをする必要はありません。あなたの言葉で感謝を示せば十分です。神はどの言葉も理解できるので問題ありません。

次に、頭を上げて、快適な姿勢で座ってください。快適な姿勢はそれぞれの人によって異なります。私にとっては足を組んで座るのが最も快適な姿勢です。ヨーガの経典や伝統によれば、足を組んで座る姿勢が瞑想には最適だとされています。この姿勢が瞑想に最適とされるのにはいくつかの理由があります。ここで詳細は書きませんが、体内のエネルギーの循環に関するものです。足を組んだ姿勢は、イダー、ピンガラー、スシュムナーという主なエネルギーの経路に影響を与え、身体中に広がるナーディーという経路を流れるプラーナとアパーナのバランスを整えます。

足を組んだ姿勢が理想的ですが、他の姿勢であれば左右前後に偏りなく、背筋がまっすぐになるようにしてください。緊張して身体が強張ってはいけませんが、あまりにだらりとしてしまってもいけません。あたかも病気で弱っているかのような姿勢で座らないように。しっかりとした姿勢で座り、意識を研ぎ澄ませ、快適かつリラックスした状態を保ちましょう。足を組んだ姿勢が難しいのであれば、椅子に座って瞑想しても大丈夫です。その場合は、ダクシナムールティのように、片足を常に上げて座るようにしてください。

足を組んだ姿勢で瞑想をする場合、瞑想の準備段階として身体をリラックスさせる方法がいくつかあります。身体の特定の部分に少しの緊張を作り出し、解放することで身体をリラックスさせるのです。リラックスするためには適度な緊張を利用しなければなりません。ナータ派とクリヤ・ヨーガの伝統には、マハームドラーという方法があります。ここで説明するのはマハームドラーの簡略版です。

足を組んだ姿勢のまま、お辞儀をするようにして頭を床に近づけます。両膝が床から浮かないように両手で抑えたまま、おでこが床につくようにします。この姿勢を数秒ほど保ち、それから顔を上げて背筋を伸ばします。この行程を何回か繰り返すと、ほどよく身体がリラックスします。三回か四回ほどで、背筋を伸ばして座ったときに、身体がリラックスしているのを感じられることでしょう。身体の緊張がほぐれているためです。

これから瞑想を始めます。快適な姿勢で座って内面に意識を向けましょう。気が散らないように意識を内面に向けるための簡単な方法があります。どんな宗教や信仰をもっている人でも実践できる方法です。老若男女、誰でもできます。

この方法は、呼吸に意識を集中するものです。プラーナ、つまり呼吸によって循環している生命の力は誰にでも宿っています。生きていれば誰もが呼吸をしますよね？　『バガヴァッド・ギーター』には「プラーナ、アパーナ、サムユクター」という部分があり、プラーナとアパーナの正しいバランスを作り出すことが大事だとされています。それでは、プラーナとアパーナ、つまり上昇する息と下降する息を、どのようにして調和させるのでしょうか？

これから私が教える方法は無料です。小切手を用意する必要はありません。今の世の中では、お金を払わなければ価値のあるものは手に入らないということが常識になってしまいました。そんな常識はここでは当てはまりません。

座ったまま深呼吸をしましょう。しかし、どのように深呼吸をすればいいのか？という疑問がありますね。様々な呼吸の仕方がありますが、ここではヨーガの呼吸法を実践していきます。ヨーガの呼吸法は鼻先でする浅い呼吸ではありません。より深くまで循環する呼吸です。この呼吸法はウッジャイーと呼ばれ、鼻よりも喉を通して呼吸するやり方です。もちろん、口を開けて呼吸をすれば喉呼吸は簡単にできますね。

では、鼻呼吸で同じことをしてみます。空気は鼻孔を通して体内に運ばれますが、より深く、喉の中心に触れるようなやり方で呼吸します。

次に、息を吸い込むのと同時にマントラを心のなかで唱えます。呼吸の妨げになりますので声を出す必要はありません。息を吸いこみながら「ハム」と心のなかで唱えます。「ハム」の音そのものを吸い込んでいるイメージで呼吸を続けます。とても簡単でしょう。

深い呼吸を続けてください。急がずにゆっくりと呼吸します。息を吸い込み終わったら、三十秒ほど息を止めて、それから息を吐きます。

ここで二種類の息の吐き方があります。口を閉じたまま息を吐くか、口を少しだけ開けて息を吐くかです。そして息を吐きながら「ソー」という音を心の中で唱えてください。音を体内から吐き出しているようなイメージで息を吐きます。このように、息を吸うときは「ハム」、息を吐くときは「ソー」と心の中で唱えます。

ここでの息の吐き方についてたとえを用いて説明しましょう。あなたは一日の仕事や学校を終えて、帰宅したところです。ベッドやソファに座ったとき、思わず「ふぅー」と安堵のため息をつくことでしょう。このような息の吐き方は体内の二酸化炭素を排出するのに効果的です。意識して同じような息の吐き方を実践しましょう。

「ハム」と心の中で唱えながら息を吸い、吸い終わったところで三十秒ほど息を止め、口を閉じたままか少し開けて、「ソー」と唱えながら息を吐きます。この流れで呼吸を繰り返してください。

はじめは十分ほどで大丈夫です。時計やタイマーで時間を測ってください。呼吸に関して神経質になることはありません。ただ息を吸って、止めて、吐くだけです。

十分後には、あなたの心は落ち着いた状態になっています。外側の物事に気が散ることなく、「ハム」と「ソー」の音に意識が没頭しているはずです。

心が落ち着いた状態になったら、瞑想を始める準備ができました。あなたの個性や好みに適した瞑想法を選びます。例えば、姿形のある神を崇拝している人は、この神のイメージを胸の中に抱いて瞑想をします。シヴァ神の信仰者であれば、シヴァリンガの石柱を胸の中にイメージして、シヴァのマントラを唱えます。「ハム」と「ソー」のマントラは準備段階なので、この段階では自分の選んだ瞑想の対象や形式に適したマントラを唱えてください。例えば、シヴァ神であれば「オーム、ナマ、シヴァーヤ」のマントラがあります。

姿形をもつ神を選ばないのであれば、「オーム」の音を瞑想します。「オーム」を唱える方法の一つに「ブラマリー」があります。ブラマリーはマルハナバチというハチを意味するサンスクリット語です。このハチは飛び回るときに「ブーン」という特徴的な音を立てます。

ブラマリーでは、両手の親指で両耳を塞いで、オームと声を出して唱えます。この音を唱えるときには、最後の「ム」を強調します。つまり「オームムムムムムムムムム」となります。意識に浮かび上がってくるものを観察しながら、「オーム」を唱えます。音が頭に響くようにして声を出してください。これを五分ほど行います。五分間を一呼吸で乗り切ることは不可能ですので、息を吐くのと同時に「オーム」と唱え、息が切れたら、深く息を吸ってください。息を吸い終えたら、息を吐きながらもう一度唱えます。これを繰り返します。

ブラマリーの最中、頭の中で「オーム」の音が響くのを聞きながら、同時に額の中心に意識を集中させます。どのように額の中心に意識を集中させるのか？　自分の手の爪で額を何回かノックしてみます。キリスト教の聖書が「叩けよ、然らば開かれん」と言うようにです。額をつつくなり叩くなりして、感覚が残っている部分に意識を向けてください。そうして五分間ほど「オーム」と声を出して頭に響かせ続けます。

この段階で、十分間の「ハム」「ソー」が終わり、五分間の「オーム」または神の姿形をイメージする瞑想を終えました。そうしたら、これまでやってきたことは全て忘れて、ただ静かに座ります。神の姿形、「オーム」、「ハム」「ソー」のどれもやらずに、何もせずに座ります。全てが静まった状態においては、あなたの意識の本質のみが存在しています。これが真のあなた、自己なのです。この理解をもって座ってください。雨の音や鳥の鳴き声が聞こえてきたとしても、気にしなくて大丈夫です。全てが私たちの一部であり、私たちは全ての一部です。そこに違いなどはありません。人間は時空間の規定によって物事を区別することを学びましたが、本質的にはこのような区別は存在しないのです。

ただ、静かに座ります。好きなだけ長く、または短く座りましょう。しっかりと瞑想の習慣を続けていけば、このように静かに座る中、あなたは素晴らしいものを体験するようになります。この状態をただ楽しんでください。瞑想を終えるときは、額を地面につけて、再び感謝を示します。私の属している伝統では「オーム、シュリー、グルビョー、ナマハ」と唱えてから瞑想を終えます。もしくは、ただ「ありがとうございました」と言うだけでも十分です。

この瞑想法を毎日十五分ほど続けましょう。あなたの意志が本物ならば、そんなに難しいことではないはずです。

以上の瞑想法は実践的で、宗教や信仰にかかわらず実践できます。入信したり改宗をする必要もありません。誰でも実践できる瞑想法なのです。

——チャクラ、特に第三の眼とされる「アージニャー・チャクラ」の瞑想法が重要だという話を聞きました。なぜですか？

この質問の答えはヨーガの科学、そしてタントラの科学に関わってきます。ヨーガとタントラには深い繋がりがあります。私がここで言うタントラとは、現代の人々が考えるタントラとは全く異なります。タントラというと、墓地であやしい儀式をしたり、性的な狂乱というイメージを人々は持っています。タントラは現代で悪名高いものとなってしまいましたが、実は全く内実は異なります。ヨーガとタントラの深い繋がりについては『シャット・チャクラ・ニルーパナ』の経典がおすすめです。イギリス統治時代のカルカッタ高等裁判所の裁判官だった、イギリス人のジョン・ウッドロフ伯爵によって経典が英訳されています。彼はタントラに並外れた関心を持ち、裁判官の仕事を辞めてまで、タントラ行者のもとで知識を深めました。彼は『ザ・サーペント・パワー』という美しい本を「アーサー・アヴァロン」のペンネームで執筆しました。『シャット・チャクラ・ニルーパナ』には次のようなことが書かれています。

ヨーガとタントラによれば、人間の体の各所にエネルギーが集中している場所があるとされています。チャクラとして知られるこのエネルギーの集中か所は、主に七つあります。背骨の最下部には、ムーラダーラ・チャクラという底部のチャクラがあります。ムーラダーラは基盤の意味です。ムーラダーラ・チャクラとおへその間には、スワーディシュターナ・チャクラがあります。おへその部分にはマニプーラ・チャクラ、胸の中心部にはアナーハタ・チャクラ、のどにはヴィシュッダ・チャクラがあります。そして、眉毛の間にはブルマッディヤの別名で知られる、アージニャー・チャクラがあり、頭のてっぺんのあたりにサハッスラーラ・チャクラがあります。

タントラとヨーガの科学によれば、全ての人間にはエネルギーが循環しているものの、通常は粗雑なレベルにとどまっているとされています。このエネルギーは女性性の特徴を持ち、インドでは古来からシャクティと呼ばれてきました。このエネルギーが下部のチャクラに循環していれば、ほとんどの人間の活動には事足ります。食事、性行為、その他の身体的な活動には十分な量と種類のエネルギーが与えられます。例えば、このエネルギーが底部のムーラダーラ・チャクラで活発になるとき、人の性欲はとても高まります。性欲もエネルギーの表出の一種ですが、これは一番粗雑なレベルの表出です。

ムーラダーラ・チャクラのエネルギーのタットヴァ、つまり本質的な性質はプリティヴィー、つまり土の性質になります。別の仕方で訳すならば、プリティヴィーは固体の状態を表します。下部から上部のチャクラに移動するにつれて、エネルギーはより微細な性質へと変化していきます。スワーディシュターナでは、状態は固体から液体、アパスタットヴァとなります。おへそにあるマニプーラでは、アグニ、火の要素を示します。固体から液体、それから液体が火にかけられて気体となります。したがって、アナーハタでは構成要素はヴァーユ、風の要素になります。もちろん、以上は象徴的な話です。胸の中心に風はありません。要素の変化は、私たちの意識が、徐々に粗雑な状態から微細な状態に進化していくことを示しています。

アージニャーは重要なエネルギーの集中か所です。アージニャー・チャクラにエネルギーが到達したとき、粗雑なエネルギーは完全に消え去り、微細なエネルギーのみが残ります。アージニャー・チャクラがある部分は、イダー、ピンガラー、スシュムナーという主要なナーディー、つまり、エネルギーの経路が出会う場所でもあります。ヨーガの解剖学と生理学によれば、イダーとピンガラーはアージニャー・チャクラで交差して、右脳と左脳へと繋がっているとされています。これらの理由のためにアージニャー・チャクラは重要であり、意識を集中させれば、深い瞑想状態が経験されるようになるのです。そして、眉毛の中心から少し上、額の真ん中あたりから脳内に向けた横線上と、頭のてっぺんから下に向けた縦線の交わる部分に、松果体があります。

このように重要な役割を持つアージニャー・チャクラは、覚醒されれば、その人間の意識は低い次元のみでなく高い次元の現実を経験するようになります。『バガヴァッド・ギーター』でクリシュナがニャーナ・ヨーガについて語るときも、アージニャー・チャクラに意識を集中させて瞑想するようにと言っています。

アージニャー・チャクラに加えて重要なのは、アナーハタ・チャクラです。これは人間の胸の中心部分にあり、感情の源をつかさどるチャクラとされています。通常、私たちが誰かや何かに感情的になるとき、頭ではなく胸に感情を抱くものです。ヨーガの観点からいうと、アージニャー・チャクラとアナーハタ・チャクラは、特に重要なエネルギーの集中か所です。

アージニャー・チャクラの瞑想法は瞑想の本来の目的から外れると聞きましたが、本当ですか？

そんなことはありません。正しい瞑想法を実践しているならば、ですが。

第三の眼、つまりアージニャー・チャクラは物理的なものではありません。これは内面の覚醒です。眉間のブルマッディヤ、つまりアージニャー・チャクラの物理的な部位と対応している脳の部位の活発化という、物理的な側面はもちろんありますが。

アージニャー・チャクラに意識を集中させる瞑想法は、瞑想の本来の目的から離れていることは決してありません。私の経験と理解から言えば、この瞑想法は適切に行えばあなたを意識のより深みへと導いてくれます。しかし、感情によって高い次元の意識を経験する種類の人々は、フリダヤと呼ばれるアナーハタ・チャクラに意識を集中させるのも良いでしょう。あなたのエネルギーと意識が高い次元に向かって進化していけば、最終的にはアージニャー・チャクラに至ります。意図的に操作したり無理に強制することなしに、自然に起こる現象なのです。

もちろん、このような瞑想法は経験者から学ぶ必要があります。アージニャー・チャクラのエネルギーを感じたければ、次の簡単な方法を試してみてください。まず、鳥の羽根で眉毛の中心部分をゆっくりとなでます。このときにくすぐったいような感覚を感じるはずです。この感覚が残っている部分に意識を集中させ、瞑想をします。何かをイメージする必要はありません。ただ座るだけです。ここではイメージよりも感覚の方が重要です。

瞑想における
イメージの重要性や活用法を教えてください。

旧約聖書で、神がアダムに生命の息を吹き入れる場面があります。私の解釈によれば、この生命の息は人間の想像力を象徴しています。これは、不死の存在の神聖なる力が、死を免れない存在である人間に与えられたことを意味しているのだと思います。想像力とイメージする力が、人類を現在の段階まで進化、発展させてきたのでしょう。

人間は偉大な都市を築き、ビジネスを立ち上げ、医学の進歩を成し遂げましたが、全ての達成は想像力によって可能になったのです。アルバート・アインシュタインは言いました。知識よりも重要なのは想像力だ、と。もし実現したい理想を、あたかも現実であるかのように完全にイメージできれば、この理想は必ず実現することでしょう。この理想を実現するための手段が与えられ、遅かれ早かれ、理想は現実になるのです。

もちろん、理想が現実にならない場合もあります。しかし、その場合でも、なぜ失敗したかの説明がつきます。ですので、これはまた別問題としておきましょう。ここでは、想像力とイメージする力の可能性に焦点を絞って、話を進めていきます。

思考を具現化するためのイメージする力、想像力の秘密は、思い描く対象を現実だと信じて想像することです。細かい部分の特徴まで含めて、あたかもそこに既に存在しているかのように想像するのです。

これができたとき、無意識の領域がこの想像を高い次元にもたらします。識者の批判を恐れずに言うならば、無意識と意識に対比させて、この高い次元は超意識と呼ばれます。

超意識は、想像を実現するために必要な手順を脳に与えます。これはつまり、人の意識が高次元に到達して、この次元から通常の意識に向けてエネルギーを降下させる行為です。この高次のエネルギーの降下を「恩寵」と言っても良いでしょう。高次のエネルギーを受け取ることで、通常では不可能なことも達成できるようになるのです。

このためには、あらゆる条件付けや、偏見に捉われた状態から心が解放される必要があります。まず、自分の現在の知識や理解には限界があると認めなくてはなりません。通常の知識や理解よりも深いところに、さらに何層もの次元の現実が隠されているかもしれない、と。人間は個人の限られた経験によって世界を理解しています。「もしかしたら自分の理解とは異なる世界のあり方が無数に存在するのかもしれない」というように、超意識に近づくためには、新たな可能性を受け入れることのできる、開かれた心が必要なのです。

開かれた心と共に、想像を実現するための強い意思があるとき、このために必要なエネルギーが超意識から降下します。この力強いエネルギーが降りてきたとき、その人の心は浄化され、求めていたものが与えられるのです。

この高次のエネルギーを受け取るための特殊なテクニックはあるのでしょうか。

まず、テクニック以前に、あなたの態度が重要です。新たなものを受け入れる準備ができた後に、条件付けや偏見から心を開放するための実践を行います。そうして、通常の状態で経験されるよりも遥かに力強く、創造性にあふれた高次のエネルギーを受け取ることができるようになるのです。そのための瞑想法のひとつをここで紹介しましょう。特に宗教的な話ではありませんので、単なるメンタルトレーニング、または心理的な実験と考えていただいて構いません。

まず、数日間で良いので、職場や自宅など、あなたが日常生活を営んでいる環境から離れた場所に移動してください。どこか新しい場所、風光明媚《めいび》なところが理想的です。木がたくさん生えていて、朝は鳥たちの鳴き声で目を覚ます、といったような環境を選んでください。窓から美しい山々が見えるような場所も良いですね。または、波打ち際で波がおだやかに打ち返す音が聞こえるような浜辺もおすすめです。このような場所に数日間ほど出かけてください。

携帯電話の電源を切りましょう。必要であれば、毎日一時間ほどだけ電源を入れて、外の世界の用事に対応してもかまいません。料理の手間を省くために、食事はシンプルに、必要最低限にしておきます。テレビの電源も切りましょう。

それから、静かに座れる場所を用意してください。ベッド、フロア、場所はどこでもかまいません。誰にも邪魔されないことが重要です。リゾートやホテルに滞在しているならば、「掃除の必要はありません」と書かれたサインを、ドアノブにかけておきましょう。

窓から外の自然が眺められるような場所を選んで座ってください。無理のない、快適な姿勢で座りましょう。あぐら、正座、または椅子に座ってもかまいません。目を開いたまま、外の自然を眺めます。もし雨が降っているとしたら、雨の降る様子を眺めましょう。曇りの天気ならば雲の流れを眺めます。しばらくの間はただ景色を眺めましょう。何か意味を見出だそうとする必要はありません。ただ眺めて、そこにいるだけで良いのです。

できるだけ思考にとらわれないようにしてください。外から聞こえてくる音に耳を傾けましょう。部屋の換気をしっかりして、窓を開けたままにしておきます。

ゆっくりと深呼吸をします。息を吸いながら、美しく、自由で、生命にあふれた大地のエネルギーを想像します。呼吸と共に、このエネルギーが自分の中に入ってきているイメージを思い描くのです。窓の外には緑豊かな自然が見えるはずなので、このエネルギーが緑色だと想像しても良いでしょう。呼吸と共にあなたの肺を満たし、身体中を巡っていきます。ただ、そこに座ります。このエネルギーが身体中の全ての細胞を満たしていくままに。

次第に、あなたは目の前に広がる自然の一部となっていきます。美しく、静謐な、緑豊かな自然が心の中に広がっていきます。この広がりの真ん中に、美しい光を想像しましょう。落ち着いた、静かな、月光のような光です。息を吐きながら、あなたの中の負の感情や記憶が、呼吸と共に鼻から外に流れ出していき、風のなかに消えていくのを想像します。息を吸い、息を吐き、今、あなたは内側から浄化されました。周りを取り囲む美しいエネルギーと、あなたは一体となっています。この状態から何回か呼吸を繰り返したあと、いつもどおりの呼吸に戻ります。

ここで目を閉じてください。あなたの胸の中心に灯っている、美しく、静謐な月光の明かりに意識を集中させせます。それから、あなた自身に語りかけてください。「今、過去の自分から私は解き放たれました。私は果てしなく広がっていく自由な存在です。小さな場所に留まる必要はもうありません。自然のなかで飛び回る鳥のように、私は飛び立ちます。私の意識が高みに達するように力を与えてください。私の心が開かれていきますように。閉じ込められていた暗闇から解放され、自由になりますように。」

目を開けて、周りを見渡してください。外に見える全てのものに鮮やかな色合いが加わっているのに気が付くはずです。

ここで立ち上がりましょう。足をストレッチして、少し部屋の中を歩き回ってから、再び座ります。あなたの実現したいことを想像しましょう。あたかも既にそれが現実になっているかのように、細かい部分まで具体的に思い描いてください。あなたが美しい家を手に入れたいならば、その家の詳細をはっきりと想像するのです。家の外壁、家具、お気に入りのソファ。あなたはソファに座っていて、窓から外の景色を眺めています。

この瞑想法を毎朝、そして毎晩、寝る前に行います。信じられないかもしれませんが、しばらくしないうちに、あなたの想像は現実となることでしょう。もちろん、この瞑想法がうまくいかないこともあります。これにはいくつかの要素が関係しています。まず、あなたが固定観念にとらわれている限り、成功は難しいでしょう。「本に書いてあったから試してはみているけれども、実際に想像が現実になるとは思えない」というような思考を抱いているならば、はじめから試さない方が良いでしょう。

ここで紹介したのは、私たちの心を自由な状態へと導く瞑想法の一つです。続けることで、私たちの心が解放され、鳥のように自由に羽ばたいていくことができるようになります。使い古された歩道から、果てしなく広がる平野へと歩み出ていくのです。

パドゥカ（サンダル）と花を想像して師に祈りを捧げる瞑想とは、どのようなものですか？

魂の成長のための実践において師をもつのは良いことです。世の中には様々な師がいて、当たり前ですが、師の特徴も実に様々です。シヴァ神、ラマナ・マハーリシ、パドマサンバヴァなど、人によって師と崇める人物は異なります。ですので、師の容貌を想像して瞑想する代わりに、彼らのパドゥカを瞑想の対象とします。御足のみを想像することで、師の顔は関係なくなります。師は真理を体現した人間のことであり、それであれば、究極の真理こそが私たち全てを導いているのです。特定の人物の顔を瞑想する必要はありません。

師のパドゥカに意識を集中して瞑想しましょう。パドゥカは足、または、サンダルのような履物を意味するサンスクリット語です。昔のサドゥーや師たちは、パドゥカと呼ばれるサンダルのような履物を履いていました。あなたの胸の中心部分に抱えられたパドゥカを想像してください。

それでは目を閉じましょう。両手を胸の中心部分に置いて次のマントラを唱えます。「オーム・シュリー・グルビョー・ナマハ」これは「師に敬意を表します」という意味のマントラです。また、「全ての存在は私の友です」と祈るのも良いでしょう。庭にお花が生えていれば摘んできて、あなたの座っている場所の周りにお供えしましょう。ポジティブな考えやイメージに意識を集中させて、目を閉じます。

深呼吸をします。息を吸いながら「ハム」または「オーム」と唱えます。息を吸うときは常に口は閉じているようにしてください。息を吸い終えたら、三十秒ほど息を止めます。できるだけ音はたてないようにしましょう。それから息を吐きます。

息を吐きながら「ソー」と唱えましょう。口を閉じたまま、または、かすかに開けて息を吐きます。どちらの場合でも「ソー」と唱えながら息を吐きます。

できるだけゆっくりと「ハム」と「ソー」を唱えるようにしてください。急いではいけません。呼吸のリズムに意識を集中させるようにします。あなたが十分だと思うところで終わりです。

あなたが真剣にこの瞑想法を続け、「次はもう少し長くやろう」と思うようになったら、何か良い変化が内面に起こっているのを感じられるようになるでしょう。もちろん、永遠と瞑想をしているわけにはいきませんので、「もう十分だ、仕事に戻ろう」と自分で終わりの時間を決めましょう。瞑想の終わりには、座ったままお辞儀をして、おでこを床につけます。師のパドゥカを想像しながらお辞儀をします。

そして「オーム・シュリー・グルビョー・ナマハ」と唱えましょう。

―クリシュナ神やハヌマーン神、女神カーリーなどの姿や形を持つ神々への篤い信仰を持っていますが、このような場合はどのように瞑想をすれば良いですか？

信心深い気質や、素朴な信仰心を持つ人たちは、神への愛を自然に表すことができます。自分と神との間の個人的な関係性から、神を崇めるのです。これらの人々にとって、姿や形のない唯一神は理解しがたい存在です。

信心深い人々は自分自身と特別な関係性を感じられるような神の存在を好みます。このようなヨーガは信愛のヨーガ、バクティ・ヨーガと呼ばれます。しかし、信愛のヨーガだからといって、瞑想をしなくて良いわけではありません。バクティ・ヨーガにおいても、瞑想は欠かせない要素なのです。バクティ・ヨーガでは、信仰者は自分が最も惹かれる神の姿や形を選びます。クリシュナやラーマ、仏陀など、対象はどれでもかまいません。それから、この特定の神に捧げられるマントラを信仰者は唱えます。ジャパ、つまりマントラの詠唱は、とても重要なバクティの形です。

バクティ・ヨーガのジャパでは、まず、胸の中心部分に蓮華の花または光を想像します。それから、特定の神に呼びかけ、この神が自分の胸の中に宿るようにと祈ります。この過程を終えてから信仰者はジャパを始めます。ジャパも瞑想のうちの一つです。

または、神の名前や栄光を称える賛美歌を歌うのも、バクティ・ヨーガです。このような場合、信仰者は賛美歌を歌うのに没頭して、自動的に瞑想状態に入ります。信仰者の意識が神の名前や栄光といった一つの思考に集中するからです。

ヴェーダーンティック瞑想とは何ですか?

ヴェーダーンティック瞑想には、まず、落ち着いた状態の心が大前提です。このためには呼吸法や呼吸の観察、またはジャパ(マントラの詠唱)を行いましょう。心が最も静まった状態にあるとき、わたしたちの知性は最も鋭くなります。アドヴァイタ・ヴェーダーンタの権威として知られるシャンカラーチャーリヤも、ナーディーを浄化するための手段として呼吸法を教えました。ナーディー、つまり、エネルギーの経路が浄化されたとき、人の知性は鋭くなり、ヴェーダーンタの真理を理解するために必要である精緻な状態の意識に至ります。

ヴェーダーンティック瞑想は、主に思考と意識の性質に関する瞑想法です。これはどのような瞑想法なのでしょう? 具体的なたとえを用いて説明します。夜に窓を開けてみたら、美しい夜空を照らす満月に、はっと息を呑んだ経験はありますか? この瞬間、夜空を照らす満月以外の全てが忘れられています。自意識すらもなく、ただ、月の美しさがあるだけです。ヴェーダーンティック瞑想ではこのような意識の状態が経験されます。

ヴェーダーンタでは、真理の探求者は自分の周りを観察して、何が移りゆくものであるかを識別しようとします。そして彼は結論付けます。「この世界に永遠のものはない。今日ここにあったものは明日になれば失われている。私の全ての喜びもこの身体が死ねば消えてしまう。全て生まれるものは死ぬ運命にある。変化するものは真理ではない。真理は不変であって、どんな悲しみも真理の内には存在しないのだから。真理は至福そのものであり、この現実に起きている変化に影響されずにあるのだ。このような真理を私は追い求めているのだ。」

このような仮定をもとに、探求者は真理ではないものを全て否定形で識別していきます。この識別の過程は「ネーティ、ネーティ」といいます。サンスクリット語で否定を意味する言葉で、「これは真理ではない。あれも真理ではない」と、真理でないものを否定していくことによって真理を追求していくのです。

これは最も重要で効果的な瞑想法の一つです。意識は真理の探求の一点に絞られ、瞑想者の持てる全ての集中力と意志力が注がれるからです。このとき瞑想者の心は精微で深い静けさに包まれています。自分自身の内面にあるものを一つずつ吟味して、「これは真理でない。これも真理でない。あれも真理ではない」と問い続けるのです。そうして次第に識別の対象はより微かな領域に進んでいきます。玉ねぎのように皮をむいていき、中心部分に到達していくのです。

真理の識別のためにどれくらいの集中力が必要か想像できますか？　これは人の全存在をかけて集中しなければ不可能なことです。

自分自身が身体でもなく思考でもないという事実に、探求を続けていくなかで気が付きます。これまでの自分自身に関する理解は捨て去られなければなりません。そうして、瞑想者はさらに探求を深めていきます。「身体でもなく思考でもないなら、私とは一体何であるのだろうか？」

このように、ヴェーダーンタに則って真の自己を発見する探求法が、ヴェーダーンティック瞑想と呼ばれるものです。

この探求の過程で助けとなる瞑想法を紹介しましょう。自分の思考に集中する、つまり、頭に浮かんでくる思考を注意深く観察する瞑想法です。

快適な姿勢で座りましょう。目は閉じても開けていてもかまいません。座ってしばらくするとたくさんの思考が頭に浮かんでくるはずです。このとき、観察者として浮かんでくる思考を眺めてみましょう。特に何かの姿を想像する必要はありません。ただどんな思考が頭に浮かんでくるかを観察するだけです。思考は表れては消えてを繰り返します。一つの思考が浮かんできたと思えば、思考は広がっていって、他の思考も連想されていき、はじめとは全く異なる思考になっていくのがわかるはずです。

この一連のプロセスを観察して、どこから思考が生まれているのかを見極めましょう。思考はどのように生まれてきているのでしょうか？　ひたすら観察を続けて思考の生まれる場所を見つけましょう。思考は生まれてからどのように消えていくのでしょう？　思考は常に変わり続けています。生まれては消えてを繰り返していきます。思考の発生と消滅の過程を観察しましょう。これもまたヴェーダーンティック瞑想の一種です。

また、一時的に思考が生まれてこない状態を経験できる、他のヴェーダーンティック瞑想の方法もあります。まず静かに座り、意識が鋭い刃となっているのを想像します。そして思考が現れた瞬間にこの刃ですぐに思考を斬っていきます。

この瞑想法は大乗仏教でも用いられています。彼らの行うヨーガの修行法の一つです。この瞑想法でも、思考が現れた瞬間に断ち切るイメージが使われます。当然ながら思考は次々と立ち上るので、瞑想者は思考を断ち切り続けます。この繰り返しがしばらく続いた後、ある瞬間が経験されます。一つの思考が消えて次の思考が生まれるまでの、空白の状態が経験されるようになるのです。これがこの瞑想法の目指すところです！

この空白が経験されるとき、求めていた真理が得られたことがわかるのです。この空白こそが自己の真の本質であり、どのような思考が生まれてきても影響されない、純粋な意識であるからです。

この意識の中心は私たちの中にあります。そして、この体験を得た人たちは、それがいかに至福に満ち溢れた状態であるか口を揃えて語ります。普通の状態で経験されるような幸福感ではなく、全く違う次元の至福が経験されるのです。

マハーニルヴァーナ・タントラには「アーナンタム、アーナンダム、ブラフマー」と記されています。尽きることのないアーナンダム――至福がブラフマンであるという意味です。そして、全ての思考のプロセスが終わるところにのみ、ブラフマンがあるのです。これは無意識の状態ではありません。意識を失ってしまっては不可能です。意識の中心、深部へと瞑想を通して近づいていき、意識の本質ではないものが幻想として取り除かれていった後に、アートマン、つまり自分の真の源にたどり着くのです。

呼吸に意識を集中させる瞑想とはどのようなものですか？

瞑想の実践はまず呼吸を意識することから始まります。私たちの心の状態と呼吸には密接な繋がりがあるからです。マインドフルネスを超えた状態を経験するためには、呼吸がとても重要な鍵となってきます。

まず、呼吸に関する事実をおさらいします。食事抜きでも人間はしばらく生きられますね？実際、マハートマ・ガンディーは何日間もの断食をしたと知られています。私たちは食べものがなくてもしばらく生きることができ、水がなくても何日かは耐えられます。しかし、三十秒でも呼吸をしなかったら、私たちはたちまち苦しくなってしまいます。もちろん、あなたが境地の高いヨーギーであれば、しばらく呼吸をしなくても生きられます。しかし、普通の人であれば息を止めていられるのは一分が限界でしょう。このように、食べ物や水以上に呼吸というのは生命に欠かせないのです。呼吸がなくなったとき、空気の抜けたタイヤのように、私たちの生命は失われてしまいます。

呼吸はとても重要ですが、日常生活で私たちは呼吸を意識しません。意識しなくても自然に呼吸をしているのが当たり前となっています。人間が母親のお腹の中にいるときから呼吸が始まり、身体が死んだときに呼吸が止まります。生まれてから死ぬまで常に共にあるにもかかわらず、私たちはあまりにも呼吸に無関心なのです。私たちと生命の源を繋げている鍵こそが呼吸なのです。『旧約聖書』の始まりに美しい描写があります。神がアダムを創造した後、神の息をアダムの中に吹き込む場面です。この生命の息をヨーガではプラーナと呼びます。これは肺に送られる酸素や空気ではなく、あなたを生かしている生命の力を表す言葉です。

呼吸の重要さを理解して、瞑想中だけでなく全ての活動の最中で常に呼吸を意識すると、自然に心が落ち着いて、意識が内面に向かっていくのがわかるはずです。この、呼吸に対する気付きの状態が、マインドフルネスやウォッチフルネスとも呼ばれるものです。

上座部仏教の教えによれば、仏陀が教えた唯一の瞑想法はヴィパッサナーという名前だそうです。最近ではヴィパッサナー瞑想がブランド名のように知られていますが、これは元々、呼吸を意識する瞑想法を指す言葉です。息を観察して、意識を集中させる方法がヴィパッサナーです。食べ物や飲み物、行動に対するのと同じように、私たちは呼吸にも意識を向けようとします。

この点に関して詳しく説明していきましょう。例えば、あなたを不快にさせる出来事が起きたとします。このときに呼吸に意識を向けるのを思い出して、あなたは自分の呼吸のパターンを観察しようとします。心が乱された状態にあるとき、呼吸もまた不規則になるのに気が付くはずです。今度は、あなたが好きなことをやっているときや、美しい音楽を聞いているときに、呼吸を意識してみましょう。例えば、絵を描いているときの呼吸を観察してみます（絵画が私の趣味なのです）。または音楽やゆっくりとしたダンスを練習しているときでも良いでしょう。このときの呼吸はどのようになっているでしょう？　落ち着いて穏やかな呼吸が観察されるはずです。古の賢者たちは人間の内面の状態と呼吸の関係を知っていました。もし感情の起伏が呼吸のあり方に影響するならば、逆に、呼吸を使うことによって感情に影響を与えることもできるのです。呼吸を観察することで自然と心は落ち着きます。呼吸を意識して、呼吸に対するマインドフルネスを実践できれば、他には何もする必要はありません。ただ息を吸って、息を吐くのを静かに眺めるだけです。しばらくすれば心が落ち着いてくるはずです。

あなたの心が浄化され、誰かに対する憎しみや怒りもなくなり、感情が制御されるようになれば、魂の成熟のためのより高い段階へと自然に進んでいくことができます。

心の浄化が進んでいない状態であれば、呼吸を観察しているうちに眠たくなるでしょう。眠りに落ちるか、より落ち着いた状態に心が深化するか。どちらかが呼吸の観察によって必ず起きるでしょう。無理にゆっくりと呼吸をしようとする必要はありません。ただ呼吸を意識するだけで十分です。息を吸って、息を吐く。この繰り返しを観察するだけです。しばらくすると、自然に、ゆっくりと大きな深呼吸をしたくなるはずです。心は落ち着いて、穏やかな状態になります。こうして呼吸がゆっくりになったとき、心は静まり、台風のあとの凪のような状態があなたを訪れることでしょう。

この状態を途切れずに維持できるようになると、外の世界からの感覚刺激によらない、内面の体験が生まれてくるようになります。最もわかりやすい例には心臓の音があります。また、静かな心で呼吸を観察するとき、普段は聞こえない類の音が聞こえてきます。

呼吸の意識を深めていくと、ある時点で呼吸が観察できないほど、ゆっくりになることがあります。呼吸が止まってしまえば身体が機能しなくなるので、完全に呼吸が止まることはありませんが、気付かないほど微かになるのです。このとき、体内の音とは違う、不思議な音が聞こえてくることがあります。ヨーギーはこの音を「アナーハタシャブダ」と呼びます。この名前は「それ自らによって鳴る音」や「音の源」、アナーハタは「叩くことなしに」または「打つことなしに」という意味です。

この内面の音は片手による拍手と表現されることがあります。拍手をするには両手が必要になるので、片手の拍手は普通に考えれば意味をなしません。このことを理解するために、二つのものが打ち付けられて出る音ではなく、内面の何かが動くことで発生している音を想像してみましょう。これは私たちの中を巡るプラーナの音なのです。

この内面の音に意識を集中して瞑想していると、ときに美しい音楽のような音が聞こえてくることもあります。または、心が完全に静まっているとき、季節外れのコオロギの鳴き声のような音が聞こえたりもします。もちろん、実際に外にコオロギがいるかもしれないので、瞑想が終わったら確認してみてください。先日、私の講演の後に誰かが質問をしました。「これまで六日間ほど瞑想を続けているのだけれども、瞑想中に香水のような美しい香りが漂ってきました。これは何ですか？」私は答えました。「隣の部屋にいる女性に香水をつけていないか聞いてみてください。」

瞑想の実践を始めてすぐに不思議な体験をするのを期待してしまいがちですが、この点に関しては現実的になりましょう。もちろん、全ての外的要因を確認した上で何か特別な体験、特別な感覚があるのであれば、それ以上は疑う必要はありません。呼吸の意識を深めていき、意識がより深みに向かうことで、音よりも微細な領域に到達するのです。

最終的に瞑想はあなたを真の自己へと導くでしょう。息を吸っても、息を吐いても、変わらずにそこにある存在です。この状態に到達したとき、呼吸は気が付かないほどにゆっくりになります。呼吸を止める必要はありません。それは「クンバカ」という別の種類の修行です。全てが静まった状態が、パタンジャリの言う「チッタ、ヴルッティ」つまり、心の表面に起こる波が全て消えている状態なのです。

心の表面の波がなくなったとき、自他の区別はなくなり、瞑想者と瞑想の対象は一つになります。このときはじめて私たちは高次の意識に移行する入り口に立つのです。この状態が終わりではなく、まだ何層も深い領域があります。しかし、高次の意識への入り口であることは間違いありません。この段階にまず達しなければ、どれだけ瞑想をしたりマントラを唱えたりしても、高次の意識に移行することはできません。

マントラや神の名前を唱えながらでも瞑想はできるのですか？

もちろんです。マントラを繰り返し唱えるのは、心を静かな状態に誘導するためのシンプルな手段です。例えば、常に仕事のことで頭がいっぱいになっているような人には、マントラの瞑想は有効です。瞑想をするためには心が静まっていなければなりません。これは絶対条件なのです。では、このためにはどのような手段があるのでしょうか？

このための最もシンプルな瞑想法は神の名前や聖なる音、つまり、マントラを繰り返し唱えることです。これはジャパと呼ばれます。たとえ宗教に対して抵抗を感じる人でも、ジャパは意識を誘導させるのに有効です。ジャパには心を落ち着けて、葛藤や緊張を和らげる効果があります。マントラといっても秘儀的、密教的な要素はありません。ただ、充分に精通した人からマントラを受け取る方が良いでしょう。マントラは単語や音、または文章の形をとり、通常は師から弟子に伝授されます。

マントラを唱えるにはいくつか方法があります。

まず、声に出して唱えるやり方です。はじめは声に出して唱えるのが良いでしょう。声に出してマントラを唱えるのが嫌いな人もいます。声を出さずに頭の中でマントラを繰り返すのも方法の一つですが、しっかりと瞑想の最後までマントラに意識が集中されているかを確認する必要があります。声を出して唱えれば、自分の声が耳に入るので、意識が他の思考に向かうのを防ぎやすくなります。これに慣れてくれば、唇の動きだけでマントラを唱えることもできるようになり、最終的には唇を動かさずとも、心のなかでマントラを唱えられるようになります。

師から直接に受け取る必要のない、シンプルなマントラを紹介しましょう。これは「オーム」です。または「ソー、ハム」のマントラもあります。また、ガーヤトリー・マントラという、何百年もインドで唱えられ続けてきたものもあります。

ジャパは心を静めるための手段の一つです。繰り返しますが、心が静まることなしに瞑想はありません。

沈黙の時間を設けるべきですか？

沈黙を作り出すことはできません。沈黙は向こうからやってきて、ひとりでに去っていきます。沈黙は誰かの支配を受けません。無理に沈黙を作ろうとすれば、内面の葛藤が生まれます。沈黙があなたを訪れたときにはただ楽しみましょう。沈黙が去るならば追わないようにしましょう。沈黙に執着してはいけません。

愛の感情とは本質的に何を意味するでしょう？　愛する何かからの別離です。この何かが共にあるとき、別離の痛みはありません。離れているとき、この何かを切望する心が愛と呼ばれます。愛は切ないながらも味わい深い痛みです。愛する何かが共にあるときは楽しみましょう。去るときには追わないようにしましょう。実際、それ以外に私たちに選択肢はないのです。

しかし、この私たちが切望している何かは、実は今この場所に共にあるのではないでしょうか。時と場合によって愛の対象の名前や形は変わるかもしれません。ここでは名前や形の違いにとらわれずに考えてください。風、大地、植物、生き物の成長の全てに、同じエネルギーが満ちているのです。全てが切望するものの一部であり、本質においては同じなのです。心に落ち着きと静けさが満ちるとき、私たちはこの何かと共にあるのです。

沈黙は語ることがありません。沈黙を作り出そうするのは矛盾した行為です。沈黙が訪れるとき、あなたは沈黙の中にあります。沈黙が去るときにできることはありません。変えようのない流れに身を任せることは、謙遜と信仰の一つの表れなのです。

私は感情的な人間なのですが、瞑想における感情の役割とは何ですか？

魂の成熟のための実践には、常に豊かな情感が伴います。サンスクリット語でこのような情感は「バーヴァ」と呼ばれます。瞑想の進歩、そして魂の修養の道を進むにつれて、より豊かなバーヴァが私たちを訪れるものです。世の中で見つかることのない何かを求める強く、深い思い。これが瞑想におけるバーヴァの意味です。

チョコレートを欲しがる子どもを想像してみましょう。この子どもにチョコレート以外のお菓子をあげても決して満足はしないでしょう。この子はただチョコレートが欲しくてたまらないのです。このように一点に集中した気持ち、バーヴァは、魂の修養においては真理の発見に向けられることになります。

バーヴァは深い情感を伴うので、単に知的なものではありません。知性は世界に関する知識をある程度までは与えてくれはしますが、ある地点を超えれば、知性による理解は血の通わない知的な遊びになってしまいます。これ以上は知性だけでは先に進めないのです。「この世界は幻なのだ。真理こそが現実だ」と頭で理解していても、この知識は借り物のままです。

真理の探求にはバーヴァが必要不可欠です。情感がなければ、何かの対象に意識を一点集中させて、長い間瞑想するなどは不可能でしょう。瞑想が難しいのはなぜでしょう？　なぜなら、瞑想の対象とバーヴァによって十分に繋がっていないからです。このために集中が困難なのです。私が花が好きで、特にバラに対してバーヴァを抱いていたら、バラに意識を集中させるのは簡単です。このように、瞑想において情感は重要な役割を果たします。

科学的な側面についても少し考えてみましょう。近年、脳検査の技術は進歩して、人間が活動をしている最中に、脳のどの部分が使われているかを可視化できるようになりました。ある実験で、瞑想やその他の内観的な実践によって得られる体験の最中に、この装置を使って脳の活動を測定してみたそうです。すると、論理や分析のための部分ではなく、直観や感情を司る部分が活発になっていたことがわかりました。

トランスやサマーディの状態のような深い瞑想状態に人があるとき、脳の大脳辺縁系、つまり感情を司る部分が活発になることがわかっています。危険が迫ったときに反射的な行動をとるためのシグナルを送ったり、感情全般を扱うのが大脳辺縁系です。この部分が損傷してしまうと、人としての感情を持つことができなくなると言われています。解剖学的、生理学的に考えても、感情と瞑想は密接に関わっていることがわかります。

ダーウィンの進化論はご存知ですね？　最も生存と繁殖に適した種が生き残るのが、ダーウィンの自然選択説です。しかし、小さな子どもだったあなたが今まで生き延びてきたのは、生存するのに最も適した意志や能力があったからでしょうか？　それとも、幼いあなたは無力な存在だったのでしょうか？　子どもは無力であり、生き延びようとして争っているわけではありません。大人が子どもの生存と成長のために世話をするのです。種の進化のある段階において、このような「無力さ」が鍵になると私は考えています。

似たように、究極のバーヴァであるバクティは、「私は無力な存在です。あなたに全てを明け渡します」となります。全ては神や超越的な存在の手に委ねられます。どれだけ自分に自信があろうとも、本質的には全く無力である事実を認めるのです。これこそがバーヴァであり、真理の探求なのです。もちろん、だからといって何もしなくていいわけではありません。

バーヴァは自然に生まれてくるのです。そして、バーヴァは少なくとも潜在的には全ての人にあります。では、真理がバーヴァの向けられる対象になっているのでしょうか？　大抵の場合、人々のバーヴァは世の中の他のものに対して向けられています。例えば、子育てをする母親がいるとして、彼女は常に子どもに愛情を感じています。または、この子どもが大きくなったとき、誰かと恋に落ちるかもしれません。しかし、追い求めていた全てが満たされたにもかかわらず、それでも希求が消えないとき、バーヴァは真理や神に向けられていきます。痛いほどの気持ちがそこに生まれてくるのです。

タントラの道においても、根源的なエネルギーが覚醒された後には、バーヴァがより高い目標に向かって導かれるのだと言われています。この根源的なエネルギーは通常の状態においては性欲として機能しています。最下部のエネルギーの集中か所だけが活発な状態になっているとき、このエネルギーは性欲の形をとります。しかし、エネルギーが覚醒されて高い次元の意識に繋がるとき、これまでとは全く異なる存在へと人は進化するとされています。ここでもバーヴァは欠かせない要素になります。

どのようにこの感情が目覚めるかは、人によって異なるものです。例えば、歌ったり踊ったりするのが好きなタイプの人は、祈りをこめた踊りや歌によって感情を深化させることができるでしょう。蓮華座で瞑想をするヨーギーの場合であれば、ヨーガの修練を積むことで、このエネルギーが覚醒されます。この覚醒によって感情は魂の修養の道に向けられていきます。

チャイタンニャ・マハープラブーやスーフィーのようなバクティ・ヨーガの実践者たちは、バーヴァの求める対象が得られることよりも、バーヴァを抱くこと自体の方が重要だとも言いました。例えばクリシュナ神の偉大な信者であったチャイタンニャ・マハープラブーは、ただクリシュナ神の姿を拝みたい一心で祈りを続けていました。しかし、クリシュナ神が姿を現したとき、チャイタンニャ・マハープラブーはこう言ったそうです。「どうして私のもとを訪れてしまったのですか。ただあなたの訪れを待つ思いがなんと素晴らしいものだったか！　痛みすら私にとっては喜びだったのです！」これこそ真のバーヴァといえるでしょう。

情感はとても大事なのです。バーヴァがなければ真理の探求はありえません。

3 瞑想の姿勢と実践

瞑想をする時間帯は重要ですか？

まずはじめに、毎日決められた時間に瞑想をする習慣を身に付けましょう。これが最も重要なことです。瞑想の日課にしばられるのは不自由なので、瞑想はしたいときにするべきだと言う人たちもいます。このような考えに耳を貸さないようにしてください。瞑想を毎日する習慣は必要不可欠です。決まった時間に行えるならばなおさら良いでしょう。なぜなら、瞑想の進歩も含めて、全ては習慣の賜物《たまもの》だからです。

型は破られなければならないという考えにも一理あります。しかし、それは後にくるべきことです。まずは習慣を身に付けてからでなければ、それを破ることもできません。例えば、優れた即興のダンスを披露する踊り子も、基本を極めたからこそ即興で踊れるのです。ですので、最終的に壊すにしても、まずは何かしらの形式から始めなくてはいけません。瞑想のための時間を決めて、その時間になったら必ず座りましょう。「今朝は犬を散歩に連れて行かなくちゃ」などと言い訳をしてはいけません。犬の散歩の時間を変えるか、瞑想の時間を変えるかを決めましょう。ちなみに、私も犬を飼っているので朝は散歩に連れていきます。

時間帯は早朝が理想です。まだ外が静かな早い時間であるほど良いでしょう。聞こえる音が鳥の鳴き声だけであれば心地良く瞑想もできるはずです。鳥の鳴き声から気をそらそうとしてもがく必要はありません。それも全て同じものの一部なのだという気持ちで瞑想をしましょう。鳥たちもあなたも別々の存在ではないのです。違うのは、早起きの鳥たちは土の中で寝ているミミズを捕まえてしまうことくらいでしょう。瞑想をする人は家で寝ている人を起こさないものです。

早朝が瞑想に理想的なのは、あたりが静かなのと、一日の始まりでエネルギーがまだ消耗されていないからです。とはいえ朝三時に目を覚ましたりする必要はありません。伝統的には朝三時半に始まるブラフマ・ムフールタの時刻が、瞑想に最も良い時間帯だとされてきました。しかし、これは仕事のある人たちにはおすすめしません。仕事中に眠くなってしまっては仕方がありません。そこまでの早朝でなくとも、朝のうちに瞑想を行うのが良いでしょう。

もし朝に時間がなければ寝る前に瞑想をしましょう。満腹状態で瞑想をしないために早めの時間に夕飯を食べます。夕飯を食べた後の瞑想は食後一時間半が目安です。もし夜に飲酒をした場合、その日は瞑想をしないようにしましょう。代わりに、翌朝、アルコールが抜けた後に瞑想をします。心臓の健康のために毎日ワイン一杯をすすめる医者も最近はいますが、往々にして私たちは一杯では終わらないのです。二杯、三杯と飲み進めていったときには、もはや瞑想ができる状態ではなくなっているでしょう。

瞑想のときは何を着れば良いですか？

真剣な人たちには瞑想専用の服を用意するのをおすすめします。なぜなら、服は着た人の跡を残すからです。つまり、服を着ているときに経験した心の状態やとった行動は、記憶のようにして服に残るのです。

例えば、機械工として働く人は作業服を着て仕事をします。機能的な面に加えて、作業服を着ることで機械工としての心持ちになるからです。あなたは機械工の作業服を着たまま瞑想をしようとは思わないでしょう。そうしたら瞑想よりも機械工の仕事をしようという気持ちになるはずです。わかりますでしょうか？　全ては波動のようになっており、全ては繋がっているのです。この原理に関しては深く立ち入らないことにしますが。

ですので、瞑想用の清潔な服を用意しましょう。誰かが見物に来ることもありませんから、服はお洒落である必要はありません。着ていて心地の良い服であれば十分です。例えばきつめのジーンズを穿いては足を組んでの瞑想も難しいでしょう。ジーンズを否定しているわけではありませんよ。瞑想以外のときに穿くようにしましょう。

瞑想をするときの姿勢はどうすれば良いですか？

瞑想では快適な姿勢で座りましょう。快適な姿勢は人によって違います。例えば、私は安楽座で瞑想するのを好みます。この姿勢はサンスクリット語でスカーサナといいます。スカーは幸福や心地のよさを意味します。伝統的なヨーガの経典は、瞑想の際は足を組んで座る姿勢をすすめています。これにはたくさんの理由がありますが、体内のエネルギー経路への影響が最も重要です。イダー、ピンガラー、スシュムナーと呼ばれる経路です。エネルギー経路であるナーディーを流れる、プラーナとアパーナというエネルギーを調整するのに、足を組んで座る姿勢は有効だとされています。このときに左右対称で背筋がまっすぐであることを意識してください。まっすぐといっても緊張することはありません。ただ、たるんだような姿勢は避けるべきです。病人のように背を縮めて座らないようにしましょう。しっかりと背筋を伸ばし、意識を研ぎすましつつ、かつリラックスして快適な姿勢を保ちましょう。

ヨーガには他にいくつもの座り方があります。シッダーサナの座り方や、スワスティカーサナという似たような姿勢、または正座のヴァジラーサナもあります。ヴィラーサナ、ゴーラクシャーサナ、そして仏陀の姿勢として知られる蓮華座、パドマーサナがあります。

背中や腰に支えを用いないと床に座れない場合はどうすれば良いですか？

もし足を組んだ姿勢が難しいのであれば、椅子に座っても大丈夫です。その場合は、ダクシナムールティのように、片足を常に上げて座るようにしてください。ここで「腰が悪い人はどのように座ったらいいのですか？」という質問も出てきそうです。腰が悪い人は壁にもたれるか椅子に座りましょう。まくらやクッションを背にしたり、やわらかすぎないソファーに座ります。もたれるとは英語でリーンと言います。ヨーギーやスワーミが亡くなる時にもリーンという言葉が使われます。「ブラフマ、リーン」はサンスクリット語で真理と一つになるという意味です。

足を組んで床に座るのが難しければ壁や椅子を利用します。現実的になりましょう。蓮華座で座れなくても瞑想はできます。

怪我などで寝たきりの状態のとき、横になったままで瞑想はできますか？

横になったまま瞑想をする他に選択肢はないでしょう。回復してきたら座った姿勢での瞑想に切り替えていきます。身体を横たえた姿勢と座った姿勢では瞑想中のエネルギーの流れが異なるからです。ほとんどの動物の背骨は地面に対して水平である一方、人間の背骨は地面に垂直方向となっています。これが瞑想状態に深く関係している要素です。瞑想のためには座った姿勢が最も効果的です。

身体の一部が麻痺している人も、瞑想をする意志があるなら、他の人の助けを借りて壁にもたれて瞑想はできます。座ったままの姿勢が辛くなってきたら横になった状態に戻りましょう。横になったままでも瞑想はできますが、ほとんどの人は眠くなってしまうものです。

瞑想をするときの手の置き場所と組み方はどうすれば良いですか？

まず、瞑想中は指を動かさないのは絶対条件です。また、実はこの質問の答えは真剣に瞑想の実践を続けていけば自ずからわかることです。深い瞑想状態では、手は自然に最適な形や場所におさまるからです。

しかし、瞑想を始めたばかりで、基本姿勢を知りたい人もいるかもしれません。原則として、リラックスした状態を維持できる形を選びましょう。例えば、足を組んで座っている場合は、膝の上に手を置きましょう。指を組んで座るのも良いでしょう。

一説によれば、指を組んで瞑想をするとエネルギーの循環が促進されるそうです。私は両方の形で瞑想をしますが、個人的にはどちらでも良いと考えています。落ち着いて座れる手の置き方であればどれでもかまいません。できるだけ抵抗や無理のない形を選びましょう。ヨーガでよく見られる、親指と人差指を合わせた指の構え方も良いでしょう。また、神や超越的な何かにお祈りやお願いをするときは、手のひらを上に向けて膝の上に置くのが良いとも言われています。色々な手の置き方や組み方を試して、自分に合う形を見つけましょう。

蓮華座で組んだ足の踵が下腹部にふれなくても大丈夫ですか？

その必要はありません。むしろ、踵を下腹部に引き寄せすぎると、ヘルニアを発症する危険性があります。私も昔これで腰を痛めました。ハタ・ヨーガの理論によれば、蓮華座で瞑想をするとイダーとピンガラーのエネルギー経路が制御できるとされています。しかし、蓮華座で座る際には怪我に気を付けなければいけません。

イダーは身体の左側を流れる経路、ナーディーです。呼吸によってイダーを流れるエネルギーは月のシンボルで象徴されます。月のように、冷たい性質を持つエネルギーだからです。反対に、ピンガラーは身体の右側を流れる経路で、太陽のように温かいエネルギーが呼吸によって流れるとされています。

ハタ・ヨーガの「ハ」はピンガラー、「タ」はイダーを意味する音です。この二つのエネルギー経路に働きかけるのがハタ・ヨーガです。

瞑想中は眼は開けておくべきですか？ それとも閉じるべきですか？

瞑想中は目を開けていても閉じていても、どちらでもかまいません。目を閉じたまま瞑想をするのが苦手だという人もいます。目を閉じると色々な思考が浮かんできてしまって、意識を集中させることが難しくなるためです。この場合は目を開けて、しばらく空間をただ見つめていると良いでしょう。何もせずにただ座るのです。外の景色を見て「おお、あれは良い松の木だな。木材に使って金儲けができそうだ」などと考えたりしてはいけません。欲望にかられて心が思考だらけなってしまいます。

瞑想をして三十分ほどで足がしびれてきます。対処法はありますか?

ある姿勢で座ってしばらくすると足がしびれてくる。どうすれば良いでしょう? 単純な解決策は足を伸ばしてストレッチをして、再び瞑想を始めることです。これを繰り返していくと次第に一回に座れる時間が長くなっていくはずです。これが一つの方法です。

別の方法は、足がしびれようが痛みがあろうが、気にせず座り続けることです。瞑想のしすぎで足が麻痺することはありません。不安や恐れを心から取り除くのです。もちろん、はじめから長時間は難しいのですが、しびれや痛みにかかわらず、ただ座り続けましょう。はじめに足がしびれ、次は体幹、首、そして頭もしびれてくるようになります。こうして全てがしびれたような状態でも座り続けていると、ある日、この全てをただ観察している自分がいることを発見するはずです。

人々は瞑想中の身体の不快感を気にしすぎています。痛みやしびれにたまらなくなって手や足を動かしてしまうのです。しかし、身体全てがしびれているとき、あなたの意識は別のものとして存在しています。身体が自分であるという感覚がなくなるのです。

しかし、足を組まず、伸ばしたまま瞑想をするヨーギーたちもいます。パシチモッターナーサナという前屈のような姿勢です。クリヤ・ヨーガでも似たような姿勢で行う修行法があります。パシチモッターナーサナでは頭を膝につけて、手は足先をつかむ前屈の姿勢になります。

私の知り合いにパシチモッターナーサナで八時間も座るヨーギーがいました。彼が全く身体を動かさないので、ある日、私は悪戯心で彼の身体をつつきにいきました。しかし、どれだけ試しても、何も反応がありませんでした。次の日、このヨーギーに会って話をしたとき、彼は言いました。「パシチモッターナーサナで座っていると、身体の機能が停止しているかのようになって、私はもうそこにはいないのだよ。もちろん、君が私にいたずらをしているのはわかっていたけれどもね。」

このような境地に達するには時間がかかります。焦ってはいけません。それに、もし満たされるべき欲望がまだ残っていたら、意識が体から離れた状態になっても意味がありません。全て物事には順序があります。ゆっくり、確かに進みましょう。

瞑想にはまっすぐな背骨が必要ですか？背骨の形が瞑想に影響しますか？

最も重要なエネルギー経路のスシュムナーは、物理的には身体の背骨に対応しています。スシュムナーは常にまっすぐに伸びています。ですので、瞑想中はできるだけ背筋もまっすぐに保つようにしましょう。

イダー、ピンガラー、スシュムナーなどを含めたエネルギー経路であるナーディーは、対応するか所が人体にあるものの、実際はより微細な性質なのです。例えば、人体の左右に一本ずつある交感神経幹はそれぞれイダーとピンガラーに対応していますが、これは内面の微細な体が外側に表れたものです。ここでは深く言及はしませんが、物理的な粗大な体、微細な体、より微細な体によって人間は構成されているのです。

これと関係のある話ですが、意識の焦点が一番下のエネルギーの集中か所から次第に背骨を上がるにつれて、私たちの思考の状態は変化していきます。固体から液体、水蒸気、気体、それからアーカーシャという空の性質へと変容していきます。このために一番下のエネルギーの集中か所であるムーラダーラ・チャクラの象徴はプリティヴィー・タットヴァなのです。プリティヴィーとは固体の領域、三次元の世界を意味しています。同じように三次元の現実を表す正方形の箱の象徴も用いられます。ムーラダーラが人間の基礎にあるエネルギーの集中か所で、ほとんどの日常生活はこのエネルギーがあれば十分です。

意識がスワーディシュターナ・チャクラのある次の位置まで上昇すると、さらに微細な性質の液体の次元に入ります。もう一つ上のマニプーラ・チャクラの火の力が「ラム」の音と共に覚醒されると、水は気体、ヴァーユに変化します。意識はさらに微細さを増し、アナーハタ・チャクラでは気体になります。より上昇していくとアーカーシャへとなります。

アーカーシャは未分化状態の物質の原始的な性質を表したものです。ここからアヌという未分化の原子が、火花のような光となって発生します。もちろん人間の目は原子を視ることはできません。物質の反応によって原子の存在を知ることができるだけです。ここまで微細な領域は人間の知覚を超えているのです。

サンスクリット語でアヌは最も小さい物質の単位、火の粉のような光を意味します。背骨の最下部から上昇していく過程で、粗い段階からより微細になっていき、最も細かく小さな単位に意識は到達していくのです。アーカーシャの領域は通常の意識では理解できません。ここで私たちは両手を上げて「私にはわかりません」と降参しなくてはなりません。『バガヴァッド・ギーター』の第八章でアルジュナがクリシュナ神の真の姿、ヴィシュワルーパを見た後のような状態です。このときまでアルジュナにとって良き友であり教師であったクリシュナが、全く理解のできない超越的な何かに姿を変えてしまったからです。
このような体験は私たち全員のなかに可能性としてあります。この可能性の種を芽吹かせなければなりません。人間の歴史での偉大な出来事は、たとえ物理的なことであろうと、この可能性の種が芽吹いた結果なのです。

この全ての源に私たちが繋がるとき、何が起きるのでしょう？ その力はヒロシマやナガサキに落とされた原子力爆弾をはるかに超えています。原子力は破壊的ですが、私たちの中にある力は創造的です。何千何万トンものエネルギーが私たちに与えられるのです。これがシャクティと呼ばれるものです。

瞑想中にリラックスすると、あくびが出たり、トイレに行きたくなったり、ゲップをしたくなります。瞑想の途中にしても大丈夫ですか？

瞑想に集中できないようであれば必要な処置をとりましょう。それから瞑想を再開すれば良いのです。あたりまえですが、他の人と一緒に瞑想をしているときは、迷惑をかけないような形をとってください。瞑想中に用を足すときも同じことです。

あくびをするのは一向にかまいません。脳が酸素を必要としているサインとして人間はあくびをするのです。あくびをすることで二酸化炭素が排出され、より多くの酸素が取り込まれます。あくびに悩まされるようであれば、座ったままお辞儀をして、床に頭をつけるのを何回か繰り返します。あくびに関してはそこまで気にしなくて大丈夫です。

瞑想をするとげっぷをしたくなる人もいます。瞑想の姿勢で座った途端に大きなげっぷが出てしまうという悩みも聞きます。これらの癖は自分で止めることが難しいようです。であれば、我慢をしているよりはげっぷを吐き出した方が良いでしょう。昔、私はあるアーシュラムを訪れました。たくさんの人が座ってヨーガの修行をしながら、げっぷをしている光景がありました。あまり心地良いものではありませんが、げっぷをしたくなったときは我慢せずに吐き出しましょう。

アルコールを飲んでリラックスしてから瞑想をしても大丈夫ですか?

アルコールは意識を攪乱させます。瞑想で求められるのは明瞭な意識です。アルコールは中枢神経系を麻痺させるので、瞑想から得られるものとは逆効果です。

心の静けさと意識の明瞭さを磨くのが瞑想の目的です。アルコールがもたらすような、意識の朦朧《もうろう》とした状態は瞑想とは関係がありません。アルコール自体には問題ありませんが、飲酒後にクリヤ・ヨーガや瞑想はやらないようにしてください。しかし、夜に修練をするために朝に飲酒をしなさいと言っているのではないですよ。個人的には、ワイン一杯くらいは人体に害を及ぼさないと私は思います。加えて、ワインは基本的にベジタリアンです。ただ、お酒には中毒性があるので気を付けなければいけません。

お酒がなければ生きていけなくなる依存状態、これが飲酒につきまとう問題です。何かに依存して生きるようになってはいけません。「これがなければ生きていけない」などとは言わないように。依存することなく生きていけるのが理想的です。これは若いうちは簡単ですが、歳を取るにつれて人は何かに依存していくようになってしまいます。

もちろん、私の知り合いでお酒を飲む人たちはいます。それでも彼らは悪い人々ではありません。むしろ、素晴らしい人々です。飲酒をするというだけで人を批判するのは間違っています。逆に、飲酒をしない人々で、全く性根が悪い人々も私は知っています。飲酒の習慣と人格は関係ありません。ただ、あなたのためをいうならば、できれば飲酒は避けるか、節制するのをおすすめします。

また、私たちが内面の源から得られるものを味わうようになるとき、お酒などを外側から摂る必要はなくなります。とてもヘルシーで中毒性もなく、肝臓にも良い陶酔状態を内面から作り出せるようになるからです。

瞑想の前にコーヒーやお茶を飲んでも大丈夫ですか？

もちろん！　コーヒーもお茶も問題ありません。けれども、欧米諸国で近ごろ合法になっている大麻はダメです！

4 瞑想中の体験

瞑想からどんな体験が得られるのですか？瞑想における進歩とは何ですか？

瞑想中の体験には、例えば、光が見えたり、様々な色が浮かんできたり、花の香りが漂ってきたり、音が聞こえてきたりすることがあります。これは、瞑想の修練によって人の意識が研ぎ澄まされていき、普通の状態では経験することのできない感覚、視覚、聴覚や嗅覚に反応するようになるからです。

このような光や音を体験することは瞑想を続けるモチベーションにもなります。「自分はこれまでにはない体験をしている。どうやら自分は進歩しているのかもしれない」と瞑想者は思うものです。瞑想を続けていても何も特別な体験がなければ、モチベーションの維持は難しくなります。「どういうことだろう。長く瞑想をしているのに何の違いも感じない」と。瞑想中の体験は進歩を表す道標だと考えて良いでしょう。

なかでも重要なのは音です。瞑想中に音が聞こえてくるようになると、より瞑想に集中しやすくなります。音楽のように心地が良いものです。瞑想中に聞こえる音は一般的にはシャブダとして知られ、あるヨーガの流派では内面の音、スーラット・シャブダと呼ばれています。この音が体験されるようになると、音に意識を集中することで、より深い瞑想状態に入っていくことができるようになります。

これらは瞑想の進歩を示す体験ですが、あくまで道標として、あまり重要視され過ぎることがないようにしてください。瞑想を続けていくと、また別の種類の体験があるのです。例えば、あなたの目的地がインドの巡礼地、シルディーならば、経由地のダルマヴァラムで休憩しすぎてはいけないでしょう。お茶を飲んで一休みしたら、旅路を再開しなくてはなりません！

瞑想を続けるモチベーションを与えてくれる、他の種類の体験もあります。瞑想の進歩を示す体験のなかで最も重要なものは、体験されるようになれば、説明するまでもなく瞑想者が明らかにわかることです。まず、とてもすばらしい至福の感覚があります。次に、あなたの存在そのものが、実感として体験されるようになるのです。それも、単なる小さな個人としての存在ではなく、全てを包み込む大きな存在としての自分が実感されます。物理的な膨張ではなく、まさに全ての側面、形において、大きな自分の存在が体験されるのです。この体験は瞑想で得られるべき最も重要なものです。

私たちが真の自己を体験するとき、この体験はもはや証拠や説明を必要としません。体験されれば、疑問や疑いをはさむ余地はもはやありません。なぜなら、この体験はあなたに完全なる確信を与えてくれるからです。これは、あなたが今、ここに座っているのと同じくらいに確かな体験です。

ここで瞑想について、とても、とても大事なことをお話しましょう。ずっと前に、私が師と共に旅をしていたときのことです。まぶたを全く動かさずに毎日六時間、七時間ほど瞑想をできるようになりたいと、私は彼に言いました。

彼は私の方を向いて言いました。「そのような例はいくらでもお前に見せることはできる。しかし、たとえ一日十時間の瞑想を十年間続けることができたとしても、もし隣の家に住んでいるお腹をすかした子どもの泣き声が聞こえなければ、毎日十時間を瞑想に費やした十年間は全くの無駄だったのだ。」

彼が言おうとしたことは、魂の成熟のために瞑想があるのだということです。ここでの進歩とは瞑想中に空中浮遊することでもなく、誰かの病を超能力で治癒できるようになることでもありません。また、瞑想を六時間続けてできるようになることでもありません。超常的な能力は魂の成熟とは関係のないことです。修行の道における最も大事な進歩の証は、瞑想をする人の心があたたかくなることです。もしある人物が瞑想でサマーディの状態を体験したと言い、それでもこの人の心が石のように固く、冷たいままだとしたら、この場合の瞑想はあまり意味のないものです。

つまるところ、なぜ私たちは瞑想をするのでしょう?

全ての存在が神の顕れだという仮定のもと、私たちは瞑想をするのです。私たちは仮説から実験へと移り、それから実験の成果を試します。この実験が失敗すれば仮説は間違っていたことになります。瞑想においても、まず大前提として、全ての存在が神の顕れなのだという仮定から、私たちは検証を始めます。この神聖なるものは隠されていたり、活性化していなかったり、表に出てきていなかったり、まだ動いていないかもしれません。しかし、この世界の全ての存在は神の顕れであり、私たちだけが特別に神聖なる存在だというのはありえません。

ですので、瞑想や魂の修養の目的は、この事実を深い内面の体験を通して知り、全てのものにある神聖なる光に触れられるようになることです。

この仮定が正しいとするならば、私たち自身の中に神の顕れを見つけられたとき、それは他の人たちの中にも同じように存在していると理解されるようになります。それ以外の可能性は考えられません。自分と相手のなかに同じ本質を発見することで、私たちは自然に慈愛の心をもって互いに接するようになります。誰一人として本質的に違う人はいないのです。外側の違いは確かにありますが、深い内面においては誰もが同じなのです。

瞑想における進歩、つまり、内面の神聖なる光に進むにつれて、全てが一つであるのだという理解に私たちは至るようになります。この宇宙は一つであって、全ての存在は神の顕れなのだということが、体験を通してわかるようになるのです。瞑想で体験されるのはまさにこういうことです。

真剣に瞑想と魂の修養の道を歩みたいのならば、まず世の中で、できるかぎり善い人生を送ることです。辛いときも楽しいときも他の人に親切であろうと努めましょう。もちろん親切を逆手にとる人たちもいるので、状況と人をしっかりと判断する必要はあります。他人との関係の中で自分を観察することは、魂の修養にとっても非常に重要なことなのです。

最後にある例を紹介しましょう。例えば、これから十三年間、私がヒマラヤの洞窟で毎日瞑想をすることに決めたとします。そして十三年後に修行を終えた私が「これで自分は怒りや悲しみ、妬みから自由になったのだ！」と宣言しても、これは全く無意味な言葉でしょう。なぜなら、怒ったり、悲しんだり、妬んだりする相手が洞窟にはいないからです。洞窟に対して怒ったりはできないことでしょう。洞窟から外の世界に出てきて、例えば、リシケーシからハリドワールに向かうバスで誰かが私の足を踏みつけたときに、本当に自分は怒りや妬み、その他の感情から自由になったと知ることができるのです。

まとめるならば、魂の成熟、そして瞑想の修行における進歩の指標は、私たちの心がどれだけ開かれて、優しくなっているかです。家族や友人だけでなく赤の他人の痛みを知り、思いやりを示すことができるか。私たちの進歩はこのような形で試されているのです。

悟りとは瞑想中に経験する神秘体験のことですか？それともそれは単に通常と異なる意識の状態なのですか？

ある種の神秘体験は、通常の感覚器官を通して経験されるのとは全く質が異なります。特殊な意識状態に入ることで、何かしらの神秘体験が経験されることがあります。身体中をめぐる至福や、エネルギーの集中か所の感覚が例にあります。美しい音が聞こえてきたり、額に集まる光が見えたりもします。意識が覚醒されると全くの沈黙が訪れ、これまでにない素晴らしい感覚が経験されます。

悟りに関する質問に答えましょう。

まず「悟り」という言葉をどのように定義するかが問題になります。これは使う人によって大きく意味が違ってくる言葉です。たくさんの人が、悟りは一回限りの出来事であり、悟った後には永遠の自由が得られると思っています。たとえ自由が得られるのが本当だとしても、この自由が何を意味するのかを理解している人はほとんどいません。本当に自由な状態を経験したことがないからです。どれだけ自由でも人々は多かれ少なかれ問題を抱えており、この自由とは相対的なものです。

このことをよく考えてみましょう。人々が問題を抱えていて自由でないのも、全ては「私」という自我の存在に根っこがあるのです。自我があるかぎり私たちが真に自由になることはありません。

悟りは確かに至福に満ち溢れた体験です。そうでなければ誰が悟りを得ようと思うでしょう？実際、人々の宗教や信仰心にかかわらず、たとえ無宗教の人でも、誰もがこの至福を得ようとして生きているのです。この希求は人々の意識の奥底にあります。同じように、全ての進化の過程は、完全なる幸福を求めて進んでいきます。私たちみなが求めていながらも、簡単には手に入れることのできない、真の幸福を目指して。

たとえ人が幸せな状態にあっても、他に欲しいものができてきたとき、欲求が満たされないと不幸せになります。しかし、ある欲求を満たして幸せになっても、またすぐに新たなものが欲しくなります。私たち自身の人生を振り返ってみてもわかるように、これが普通の人間のあり方なのです。

満たされることなく永遠に生まれる欲求と、欲求の対象を手に入れようとする行為の繰り返しを、サンサーラ（輪廻）と呼びます。この世界の生と死の車輪であるサンサーラは止まることなく回り続けています。こうして私たちの世界は存在しているのです。人々が何かを得ようとして、そのために行動をして、手に入れたものを守ろうとします。しかし、欲しかったものを手に入れたのも束の間、幸福は私たちの手元を離れていってしまいます。なぜなら、私たちは手に入れたものを失うことを恐れるからです。内面の葛藤が生まれ、すぐにサンサーラの車輪が回り始めます。

インドの賢者はかつて言いました。ある段階まで魂が成熟すると、サンサーラの車輪は動きを止めるのだ、と。この段階においては、もはや何も求めるもの、守るもの、執着するものはありません。至高の魂の体験とは、心が完全に静まった状態です。このときに人は真の、完全な自由を経験できます。このときに感じる至福と幸福感はあまりにも強烈で、これは世の中で得られるどんな体験によっても代替することはできません。測定したりすることは不可能な悦びなのです。

実際の悟りは疑う余地のない体験です。疑問が少しでもあるならば悟りとは言えません。なぜなら、悟りを開いたとき、全ての境界線はなくなり、心にはひとかけらの疑問も残りません。実際、この意識は通常の状態とは全く異質なものです。表面的には他の人と同じように世の中で生きていても、注意深く観察してみれば、悟りを開いた人の違いがわかるはずです。例えば、普通の人と悟ったヨーギーが一緒にキッチンで調理をしている状況でも、この二人の間には大きな違いがあります。ここで熱い牛乳がこぼれてしまったとしましょう。ヨーギーの意識は状況に影響されず、彼の示す反応も普通の人とは違います。物理的には牛乳がかかって足が火傷してしまうのが同じだとしても、この出来事が意識に与える影響が異なるのです。ヨーギーにはもはや得るものも失うものもなく、出来事や状況への不満もありません。

瞑想を始めてしばらくすると、穏やかな至福に身体が満たされる体験があります。エネルギーの集中部分に関する瞑想法では特にこの感覚が強くなります。このような瞑想中の体験に没頭することで外の世界のことは忘れられてしまいます。しかし、これは一時的な状態であって、悟りとは違います。修行における道標のようなものです。最終的に全ての疑念は消えていきます。これが『アシュターヴァクラ・ギーター』という経典の本質でもあります。

『アシュターヴァクラ・ギーター』に登場する聖者の肋骨には歪んだか所が八つあったため、彼はアシュターヴァクラと呼ばれるようになりました。ジャナカはヤージニャヴァルキャの弟子で、アシュターヴァクラはあるとき高名な賢者であるジャナカを訪ねました。ジャナカはヤージニャヴァルキャの弟子で、ヤージニャヴァルキャは『ブリハッド・アーランニャカ・ウパニシャッド』の経典で知られる人物です。ジャナカはいつでもサマーディの状態に入り、深い至福を味わうことができる境地にありました。

アシュターヴァクラはジャナカに尋ねました。「ジャナカは真の自由を手に入れたのか？　何故そうであると言えるのか？」

ジャナカは答えました。「私は真の自由にあります。いつでもサマーディに入って自由の境地を経験できるからです。」

アシュターヴァクラは問いました。「サマーディが終わったときはどうだろうか？」

ジャナカは答えました。「サマーディが終わったときは自由でないでしょう。」

アシュターヴァクラはさらに問いました。「真理が始まりや終わりに依存しているならば、永遠のものとは言えないだろう。あなたが寝ているときも、夢を見ているときも、起きているときも変わらない状態にあってこそ、本当に自由であるのではないだろうか。」

瞑想中の様々な体験は単に始まりにすぎません。弛むことのない努力をしていかなくてはならないのです。

なるべく丁寧に説明したつもりですが、このことを言葉で語るのはとても難しいのです。

心が全く静まっても瞑想中の至福は感じることができるのですか？

心の静けさと至福は同じものだと言えます。私たちが瞑想から求めるのは全く動きの静止した心です。至福という言葉は誤解を生むかもしれません。一般的に至福は感覚的な刺激に基づくと思われがちだからです。至福について語るとき、私たちは感覚刺激から得られるような幸福感をベースにして、瞑想が導く状態を理解しようとします。これまでの過去の経験をもとにして想像してしまうのです。

この概念から一旦距離を置く必要があります。「瞑想での体験はこれまで経験してきたことは違うのかもしれない。どんなものなのか想像もできない」という態度があれば、瞑想によって経験される至福がわかります。どのような活動をしていても変わることない、自然な状態が至福なのです。私たちの真の自己、サンスクリット語でいうスワバーヴァです。スワバーヴァはそれ自体で完全で、そこから何も足されるものも引かれるものもありません。真の自己は私たち全員に共通しています。誰か特別な人だけが手に入れるものではなく、全ての人に開かれているのです。

「内面に向かう」とはどんな体験ですか？無意識状態のことですか？

私がみなさんに教えようとしているのは、一般的に「内面に向かう」とされている体験とは大きく異なります。例えば今の私は内面に向かったり、外側に向かったりすることはありません。もちろん、最初のうちは内面に向かう必要がありました。それではじめて静かな心が経験され、全てに満ちている至福が私という存在を満たし、全てが一つであるという感覚が得られたのです。しかし、内や外の区切りは今の私にはありません。

こうして私が話をしていても、私の意識は常にその状態にあります。私の存在の中心はそこから動くことがありません。そもそも、この場所は誰にも何にも影響されることのない意識の状態なのです。誰かと話しているときも内や外の区別はありません。内面に向かう必要がもはやないのです。

真に自由な状態には内と外の境界線がもはやありません。この状態に今の私はいます。仕事をしたり何かをやっているときでも内と外の区別はありません。

これは無意識の状態ではありません。私たちが目指すべきなのは無意識状態なのだという、正しくない考えが人々の間に広まってしまっています。内面に向かうことで無意識状態にはなりません。そもそも、無意識の状態になってしまえば、何かを知ることは不可能です。無意識状態を経験したければ修行は必要ありません。脳の血液の流れを止めれば無意識状態になれるのです。

私たちが得ようとするのは完全に静まった平安な心、思考の観察者の状態です。これ以外に辿り着くところはありません。この状態に長くとどまることができたとき、あなたという自我を形成する要素が少しずつ剝がれていき、あちらにもこちらにも自分は存在しない境地に至るのです。最初のうちはとても恐ろしいことです。この状態を恐れて、何かしら他の状態に依存することで、自分の自我を守ろうとする人は多いのです。無意識状態を理想とするのも自我を守るための避難先の一つなのです。しかし、常に瞑想中には観察者である意識があり続けるので、無意識状態はありえません。

瞑想やヨーガの実践の初歩段階での体験が進歩している証か、全く関係のない体験であるのかはどう判別しますか？

　私がクリヤ・ヨーガを教えるとき、これで解脱ができるのだとは言いません。現時点であなたの心は散乱としていて内部衝突があり、あるべき秩序が保たれていないため、クリヤ・ヨーガなどの手段によって心を整えることを教えるだけです。心がきちんと整えられたとき、通常の意識の向こう側にある領域がわかるのです。

　瞑想中に経験される心の静まりと落ち着きは、あなたの中のプラーナが規則正しく巡るようになっている証拠です。乱れていたプラーナを、ある秩序のもとに動かせているのです。このために用いられる手段の一つがクリヤ・ヨーガです。

　ただ、覚えておかなければならないのは、真理は特定の修行法を実践すれば到達できるものではないということです。身体を巡るエネルギーを集めるための修行法はあります。けれども、そこから先は修行法の問題ではなくなっていきます。真理を前にしてはどんな修行法も余計なのです。

例えるならば、現在のあなたの心は、形のない粘土のような状態です。この状態からまず抜け出す必要があります。粘土から仏陀の像を作ろうと思ったら、まず、粘土を型に入れなければなりません。お寺にある仏陀の像もかつては粘土であり、粘土を型にはめて作られました。そして、型に合わせて粘土が固まったあと、型は外さなければなりません。そうでなければ仏陀の像は外に現れることはないでしょう。私たちの心に関しても同じことが言えます。最後のステップは型を外すことですが、型を外すためにはまず型が必要です。型とは修行法のことです。修行法によって、静けさと落ち着きに満ちた型に心をはめていくのです。例えば、ある優れたダンサーがいたとして、彼女が即興で踊り始めたとします。もし彼女がダンスの基本を知らなければ、即興でうまく踊ることはできないでしょう。型を破るためには型がまず必要なのです。これは修行についても同じです。

クリヤ・ヨーガには様々な種類があります。共通するのは、あなたの中のエネルギーを正しい秩序の下にまとめて、無駄に消耗されるのを防ぐことです。エネルギーが最大限に集約されたとき、自分の存在から全てが剥がれ落ちる体験があなたを訪れるでしょう。そこには主体も客体もなくなります。瞑想者も瞑想の対象も、瞑想の行為も全てが一つになるのです。あるのは純粋な意識そのものです。そうしてあなたは全ての繋がりを経験することになります。唯一存在するのは一つの意識だけで、これは全ての分断や争い、個人としての記憶から独立してあるのです。もちろん、それでもお茶の淹れ方を忘れたりする心配はありません。この状態においては、後悔や憎しみなどの感情が全て消え去るだけです。

このような意識がどれだけ軽やかであるか想像できるでしょうか？　そこにはただ大きな空間が広がっているだけです。普通の意識は決して空になることがありません。空間があってはじめて、千の花びらをもつ蓮華の花「サハッスラーラ」が花開きます。そして、これまで上に向かっていたエネルギーの代わりに、言葉を超越する絶大な何かが身体を下方へと流れていくのです。

瞑想中にプラーナが上昇するとはどういうことですか？

まず、プラーナとはこの全宇宙を維持している究極的なエネルギーです。星々の動きから植物の成長まで、全ての存在を動かしている源がプラーナです。あなたも生きている人間としてエネルギーがあるのはわかりますね？　そして、エネルギーには自らの知性があるのです。こうした全側面を含めて、この絶対的なエネルギーをパラシャクティと呼びます。パラシャクティの限られたごく一部の存在として私たち人間があります。卵子の中に精子が入るだけで、考え、話し、歩くことのできる人間が生まれるという奇跡も、エネルギーの仕事なのです。人間を創造する仕事を終えたあと、エネルギーは冬眠状態のようにして、人間の中のある場所に居場所を定めます。人間の創造という大仕事の後でも、エネルギーからは全く失われるものはなく完全な状態を保ったまま眠りに入ります。

パラシャクティのエネルギーが眠る場所が背骨の最下部にあるムーラダーラ・チャクラです。伝統的な経典によれば、コブラが三回半とぐろを巻いたようにして、エネルギーは私たちの中に眠っています。もちろん、体内にコブラがいるのではなく、単なる象徴に過ぎません。中には「瞑想をしていたら体内のコブラが見えました」と言い出す人もいるのです。あくまで眠っているエネルギーのたとえとしてのコブラですので、勘違いをしないようにしてください。実際、眠っているコブラを起こしたとき、どのような行動をとるでしょう？　コブラは驚いて「シュー」というような威嚇音を立てますね。

クンダリニーという単語はここでは意図的に避けています。今日、クンダリニーは全く商売のためのウリ文句になってしまいました。ある日、雑誌を読んでいたら、一万円でクンダリニーを瞬時に覚醒させると謳う広告が目に付きました。ただ一万円を払うだけで、ムーラダーラ・チャクラからサハッスラーラ・チャクラまでエネルギーが貫通すると宣伝するのです。クンダリニーという言葉を悪用する輩が最近はたくさんいるので、あまり使わないようにしています。

しかし、ここで私が説明しているのは、伝統的にクンダリニーと呼ばれてきた、特別なプラーナの現象です。このプラーナは特にムキャ・プラーナと呼ばれます。ムキャとは最重要なという意味です。全てのプラーナのなかで最も重要なエネルギーだからです。

ムキャ・プラーナは通常の場合は眠っていて、動的ではなく潜在的なエネルギーです。ですので、クリヤやその他のヨーガの修行を積んで、覚醒させたムキャ・プラーナをスシュムナーの中に導きます。スシュムナーを下から上に進んでいくことで、瞑想者の意識が物質的な領域からより微細な領域に向けられていきます。こうして瞑想者の意識は多次元の領域に繋がっていくのです。あなたの身体は物質的な世界にあっても、意識は異なる次元に自由に出入りできるようになります。これがプラーナの概要です。

私たちの「魂」とは個人に与えられた宇宙の意識の一部分を意味します。クンダリニーは魂ではありませんが、覚醒されることによって、意識をより深く、微細な領域へと導いていきます。この状態に到達したとき、全宇宙を構成するのと全く同じプラーナが、自分自身の中にもあることを私たちは知るのです。

瞑想中に普段より思考が多くなるのは自然ですか？

思考が多くなる？　私にはそういうことはありませんが、言いたいことはわかります。

心を静かにしようとして瞑想をすると逆に落ち着きのない状態になってしまうのはよくあることです。通常の状態に慣れてしまった心には自然な反応なのです。「このような状態が続いたら自分はおかしくなってしまう。さっさと瞑想をやめて立ち上がろう」というような思考が生まれてくるのです。

このような状態をただ観察するようにしましょう。「だまりなさい！　何と言おうと私は瞑想を続けるのだから」と自分自身に言い聞かせるようにしましょう。

これ以外に近道はありません。瞑想を始めたときに必ず起こることです。静かに座ろうとするときに心は騒がしくなるのです。慣れるには時間がかかります。アッビャーサ、つまり、実践あるのみです。とにかく瞑想を続けましょう。

また、私たちの日常活動のほとんどは、瞑想や魂の修養に関わりがありません。瞑想に繋がるような行為を日常生活に組み込むようにすると良いでしょう。現代の生活ではそのような慣習が全くなくなってしまったために、私たちの意識が瞑想の状態に順応するまでとても時間がかかるのです。

イスラームの伝統では一日五回の祈りの時間があります。これはとても良い習慣です。たとえ仕事を一日中していようとも、必ず途中で瞑想的な活動をする機会があるからです。

古代の生活には夜明け、昼、夕暮れに瞑想の時間が設けられていました。瞑想に効果的である時間帯、サンディヤです。たとえ仕事や家事をしていても、サンディヤになれば中断して、瞑想を終えてから日常生活を再開するのだと決まっていました。

もちろん、はじめのうちは誰もが瞑想中に気が散ってしまいます。浮かんでくる思考を静める方法を学びましょう。また、瞑想の助けとなるような活動を日常生活に組み込むようにしましょう。

瞑想中の居眠りとサマーディの状態をどのように区別しますか？

瞑想のために座っているとき、瞑想をしているのか、居眠りをしているのか区別できない状態があるということですね。

瞑想と居眠りの大きな違いを説明しましょう。まず、居眠りの場合は、目覚めた後もあなたは同じ人間のままです。しかし、瞑想の究極の状態であるサマーディでは、瞑想のあとには全く違う人間になっています。瞑想の成果として、あなたの態度や全ての側面が、全く違うものに変容するのです。このためにはどうすれば良いのでしょうか？

まず、瞑想中に意識を研ぎ澄まし、眠りが訪れないような集中を保ちます。ここに近道はありません。私自身、はじめのうちは瞑想中に居眠りをしていました。瞑想中にようやく心が落ち着いてきたと思ったら、「ちょっと横になって瞑想をしよう」という誘惑に負けて、あっという間に眠りに落ちてしまうのです。誘惑の声には耳を貸さないようにしましょう。しっかりと座って瞑想をするのです。どうしようもなく眠くて仕方がなければ、立ち上がって歩き、冷たい水で顔を洗って、瞑想を再開します。これ以外に方法はありません。諦めずに続ければ結果は出ます。

瞑想と居眠りの違いは結果に表れます。居眠りをすれば深くリラックスできますが、目が覚めた後に、より豊かな智慧が得られることはありません。サマーディ、高い境地を瞑想中に体験したならば、瞑想が終わったあとに何かが変わっているはずなのです。

私が繰り返し同じことを言うのも、深い眠りのような状態を瞑想の境地だと考えている初心者が少なくないからです。これが起きるのも意識がまだ浄化されていないためです。見分け方は、瞑想の前後で自分がどう変わったかを考えてみることです。

日々の実践によってのみ違いが生まれます。他に方法はありません。繰り返しますが、近道は存在しないのです。お金を払えば近道をあげると誰かが言うときは、すぐに断って立ち去るようにしてください。真剣に努力をして瞑想の境地に至ろうとする人が愚か者なのか？　簡単な近道がどこかにあるのか？　否、否！　どこにも近道は存在しません。ナイランタリヤ・アッビャーセーナ、日々の実践こそが唯一の道なのです。

5 心の性質と心を静めるための方法

心の性質とはどういうものですか？
どうすればそれに振り回されずにいられますか？

これはとても重要な質問です。一冊の本を書けるくらいに深い考察に値するものです。

まず、心とは何でしょうか？

教科書的な答えではなく、日常で経験される現象としての心に焦点を当てて話を進めていきます。

私たちは心について何を知っているでしょう？　サンスクリット語で心はマナス、又はマナと呼ばれます。心という何層にもわたる複雑なプロセスを表す、広義の言葉になります。

それでは心の一番上の層から考えていきましょう。まず、思考のない心は普通ではありえないということです。実際、心と思考は分かちがたく繋がっています。何かの思考が浮かんできた途端に、人間はこの思考を心そのものだと考えます。思考は現在に関することだけでなく、昨日や去年の出来事までも含む、過去のものでもあります。このため、思考とは記憶を含むものだと言えます。

素晴らしいものから耐え難い経験まで、様々な性質の記憶があります。そして、他人や本から得られた知識、個人的な好みや、正しい間違っているといった倫理観まで、生まれてから現在までの経験が記憶として蓄積されます。また、意識して記憶をしていなくても、無意識の領域にも記憶が眠っています。これら全てを含むのが記憶です。

心のさらに深い層には生まれる以前、人間が母体から誕生する以前の記憶があります。ここでは詳しく触れませんが、例えば、何百万年をかけて進化してきた、人間の遺伝子の記憶を考えてみましょう。単細胞生物から人間へと進化するまで、この過程でくぐり抜けてきた記憶が私たちの中には残っているのです。

全ての遺伝子的特徴や記憶に残る印象、様々な思考の集合体としてマナ、心が形作られています。

では、心はどこにあるのでしょう?

一般的に心は脳にあると考えられています。過去から現在の記憶は脳に蓄積されていることを、現代の科学は示しています。このために心の場所は脳であると人々は考えます。

脳に送られる栄養や酸素が欠乏すると人間の思考能力が失われることからも、心と脳は密接に関わっているのがわかります。インドのサーンキヤ哲学では、私たちの食べるものの最も微細な要素が心の性質を形作っているとされます。この見方によれば、心は物質的な性質と構成要素を持っていることになります。また、脳の一部が事故などで損傷すると記憶が失われるという事実からも、脳が心の一部であることがわかります。

とても興味深いのは、人間の感じる痛みや快楽を統率している器官でありながらも、脳そのものは痛みを感じられないという点です。脳手術の際には、脳を覆っている皮膚や骨、軟組織が切断されることによって患者に痛みが生じるのは、脳外科医であれば誰もが知っているでしょう。実際、脳そのものを手術する場合には麻酔が必要ありません。脳には痛みを感知する受容体がないため、どれだけ傷つけられても痛みは知覚されないのです。身体の他の部分の快楽と痛みを統率する部分である脳に関する、興味深い事実です。

議論の進行のために、思考と心は同じものであるという仮定を設定します。過去と現在、未来に関する思考の集合体が心だとしましょう。

さて、二つ目の質問に移ります。

どうすれば私たちは心の性質に振り回されずにいられるでしょうか？

まず、はっきりさせておきたいのですが、人間は思考なしには生きることができません。人間の文明の発展を可能にしたのも、全ては思考の働きなのです。人間から思考を全てなくすのは、間違った方向性だと私は考えます。

思考をなくそうという考えは、自己矛盾した、冗談のようなものです。なぜなら、思考をなくそうという考え自体も、一つの思考なのですから。どのように思考が自らをなくすことができるでしょう？　ありえないことです。一つの脳には一つの心がある。この事実を私たちは変えることはできません。心は一部分から他の部分を見て、気に入らないものだと判断して分断しようとするものです。「私は純粋無垢で善良だけれども、あの部分は悪いものだ。どうにかして抑え込まなければいけない」という思考が生まれてきます。しかし、観察しているのも、観察されているのも、全ては同じ心なのです。二つに違いはありません。

「自分」とは過去の全ての経験の生産物であり、辛かった経験、楽しかった経験、好きなことや嫌いなこと、他人や本から得た知識、その全てを含んでいます。これらの集合体が、人々が一般的に考えている「自分」というアイデンティティです。では、蓄積された思考や記憶から独立して存在するものはあるのでしょうか？　これは重要な問いです。

『バガヴァッド・ギーター』には「心は最も強力な味方にも敵にもなる」と書かれています。心を味方にできれば、心に元々備わっている力を建設的な方向に生かすことができます。実際、私たちが生きている世界は、心の力によって創造されたものです。それだけ心とは力強く、素晴らしいものなのです。ですので、はじめから心を敵と見なすような考え方から自由にならなければなりません。

自分自身の心と上手く折り合いがつけられないときに、私たちは心の性質そのものから解放されなければならないと考えるようになります。これはただ、自分自身に不満を抱えているのと同じことなのです。実際に心を超越しようとしているのは誰なのでしょう？「小さな自我ではなく、私の中のアートマンです」という教科書的な答えもありますが、しかし、この段階ではアートマンという概念も思考の産物でしかありません。

けれども、心に秩序をもたらし、ポジティブな側面を鍛え、ネガティブな側面を制御することができたとき、心はとても美しいものになります。心は人生の道のりにある障害物を取り除いてくれる力強い味方になるのです。このためには心を適切に養わなければなりません。それ以外に方法はないのです。

確かに、ウパニシャッド聖典で古代の賢者たちは言いました。通常の状態の思考を超えたものが存在する、と。

このような言葉を読んでも、そんな何かがあるようだと想像することくらいしか普通はできません。なぜなら、ほとんどの人たちは本から得られた知識が記憶にあるだけで、このような状態を直に経験していないからです。それでは、どのようにしたら私たちは実際の体験を得られるのでしょうか?

このためには思考の限界を知る必要があります。どこまでが思考の働きによって知り得る領域なのかを見極めるのです。つまり、どれだけその働きが拡大されようとも思考は不完全であり、本質的に脆いものなのだと理解することです。

この事実が経験を通して理解されたとき、思考を以てしては心の性質から解放されないのだと私たちは知ります。このときに、心に沈黙が訪れます。何かを追い求めず、争い合うこともなく、ただ沈黙の状態があるのみです。沈黙の中で、私たちは気が付きます。「もしかしたら思考以外の何かがあるのではないか?」この気付きを理論的に説明したところで仕方がありません。これは体験によってのみ真に理解されるものなのです。

また、この点に関する別の側面を考えてみましょう。心とは記憶、思考、印象をまとめた脳の働きなのだと説明しました。ただ、脳の働きに関しては、一般的な人間の脳の大部分が未使用のままであるという可能性が指摘されています。これまで使われることがなかったために冬眠状態のような部分があるかもしれないのです。では、脳の中でまだ解明が進んでいない部分はどこなのか？　あまり使われておらず、機能が十分に生かされていない部分は存在するのか？　そして、通常の思考の限界を超えるための鍵が、この脳の一部に隠されている可能性はありえるものなのか？

古代の偉大な賢者たちや過去の聖者たちは、通常の思考の領域を超えた何かを経験したという記録を残しています。心が全く静かに、落ち着いた状態にのみ開かれる経験です。

この経験を無理やりに引き起こすことはできません。心を強制的に静かにするための外的な手段に頼るならば、どこかの段階で無理が生まれてくることでしょう。しかし、私たちが何か興味がある活動に没頭しているときや、他人のために尽くすとき、心は自然に静けさと落ち着きを得るものです。

また、例えば夜更けに雲間から顔を出した美しい満月を見上げるとき、川岸で涼しい風にただ吹かれているとき、人の心はその場と瞬間と共にあります。損得勘定はなく、計算高い思考も存在していません。「この月の光景からどうやって儲けようか？　月を売って金を得るにはどうすればいいだろう？」というような愚かな考えもありません。美しい光景に見とれ、気持ちの良い風に吹かれ、ただ沈黙するのみです。「なんて素晴らしいのだろう！」とため息もつくかもしれません。

心の中で起こる現象は深層の部分で発生するプロセスです。無理やりではなく、ごくごく自然に、いつもは使われていない部分の脳が刺激されるのです。心の性質に振り回されたくないと逃げ道を探すのではなく、ただ心が静かになって現在にある状態となるから起こるのです。

この静けさの中では通常と異なる領域の意識が経験されます。これが思考を超越するための入り口の一つです。深く感動したために思考が浮かばない状態においても、同じような意識を経験することができます。しかし、私たちのほとんどは、このような真の体験を実は恐れているのです。「思考がなくなったらどうしよう？　どうやって自分は存在していくのだろう？」経験を他の何かに比べたり、思考によって理解することで、私たちは危機を避けようとします。創造の全ての源である、ブラックホールのような状態に留まろうとはしないのです。よく知っている「自分」というアイデンティティを失うのが怖いからです。

『バガヴァッド・ギーター』にある「心はあなたの最も力強い味方にも敵にもなる」の意味は何ですか？

あなたの心は味方にも敵にもなる。考えてみれば当たり前のことです。心のポジティブな側面を鍛えて、善い行いを積んでいけば、心はあなたの味方になります。しかし、心の望むままに好きなことをやらせていれば、心はあなたの敵となります。このことを理解するために、まずは心のことをよく知らなければなりません。

「心は味方にも敵にもなる」と言うとき、味方か敵かという、心の現れ方のみに私たちは気をとられがちなのです。そもそも心とは何なのかを理解せずに、日常生活でどう機能しているかだけを考えてしまいます。

ですので、まず、心という言葉が何を意味するのかを理解することが重要です。心を意味する英単語は「マインド」だけしかありませんが、実際には心は多義的な言葉です。サンスクリット語には心を表す単語が多くあります。ブッディ、マナス、アハンカーラなど、異なる単語が心の様々な側面を表します。

意識と心という言葉は一般的には似たような意味で用いられます。そして、しばしば心は思考と同じものだとも考えられています。思考のない心が通常の状態ではありえないからです。このことから、過去、現在、未来に関する思考の集合体が心だとされます。

次に言語について考えてみましょう。どのような思考にも常に言語が伴います。何かを考えようとした瞬間に、言語も一緒に心に浮かんでくるものです。どのような言語で考えるかは生まれ育った場所や環境によるものの、思考と言語は切っても切り離せない関係にあります。このために、言語は人間の生活で重要な役割を担うようになりました。思考は言語によって行われるので、言語は心の状態にとてつもなく大きな影響を与えることになります。言語を巧く使うことで、心の状態を左右することもできるのです。

そして、言語によって表された思考の集合体である心は、脳や自意識とほぼ同じものだとも一般的には考えられています。心がなければ自意識も存在しません。ここでの自意識とは、心に浮かんでくる思考を意識しているという自覚です。この自覚自体も一つの思考です。

私たちの抱くほとんどの思考は脳の機能に依るものです。これらは言語で構成された、日常生活に欠かせない類の思考です。しかし、言語なしに思考は可能なのでしょうか？　これはとても重要な問いです。言語に頼ることのない思考があるとすれば、この思考はおそらく脳の機能によるものでもないでしょう。もしくは、より微細な脳の働きによるものだとも言えるかもしれません。ただ、通常の思考の大半は脳ベースであり、全て言語によって構成されたものであるのは明らかなことです。

では、言語に頼らない思考は存在するのか？　この問いに答える前に少し寄り道をしましょう。人間の頽廃は言語の発明と共に始まったものだと私は思います。ある感情が言語に変換されるとき、感情は話し手の中に既にある概念に紐付けられ、概念の意味に限定された形で理解されることになってしまいます。

人間の頽廃と言語の繋がりに関して、『旧約聖書』のバベルの塔の物語があります。実際、口早に意味のないことを喋るという意味の英単語の「バブル」の語源は、バベルの塔にあるものです。

はるか昔、ニムロッドという偉大な王が、矢を射れば天上の神にも届くような高い塔を建てることにしました。これは全ての人々が同じ言語を話していた時代のお話だそうです。もちろん、物語をよく読んでみれば、塔を建てるための労働者は各国から集められていたので、同じ言語を話していたわけはないのですが。もしかしたら人類が感情のみによって意思疎通ができた時代だったのかもしれません。

ともかく、ニムロッドはとてつもなく高い塔を建てたのでした。建設も終わりが間近というときに、王は塔のてっぺんにまで登ってみました。天のとどろきもそばに聞こえるような高さのものだったと書かれています。それからニムロッドは弓矢を取り出して、神の玉座に目がけて矢を射りました。彼の矢が神の玉座を直撃したとき、何かが起こりました。これまで同じ言語を話していた人々が、途端に別々の言語を話し始めたのです。

彼らは互いを理解することができなくなってしまいました。それから争いが起こり、労働者たちは殺し合って、塔の内部は混沌極まる状態となりました。最終的に塔は倒れ、崩れ去ったということです。玉座を目がけて矢を射ようとした野望の結果として、様々な美しい言語が生み出されたのでした。調和が乱される原因となったのも言語だったのです。この調和の乱れは私たちの心の内面にもあります。なぜなら、全ての人間が言葉を使って何かを考えるからです。

さて、それでは、言葉なしに思考は存在するのでしょうか? 言葉を使わない思考があるならば、これは脳に由来しない、概念による分断を作り出さない思考でしょう。純粋な意識と呼んでも良いかもしれません。

このことを理解するために、まずは一般的な例から考えてみましょう。それからより微細な領域の話をしたいと思います。あなたが誰かのフルートの演奏を聞いているとします。フルートでなくても、ヴァイオリン、ベートーヴェンの協奏曲、どのような音楽でもかまいません。

音楽は象徴によって構成されています。純粋な音楽は人々の間の境界線や言語、全ての垣根を取り払うものです。素晴らしい音楽は誰もが楽しめます。音楽に言語はありません。音楽を聴いているときの心は、言語的な思考をしているときとは異なる状態にあります。

この心の状態はより全ての源に近く、普段から使われている脳機能によらないものです。たとえ言語を使っていなくとも、音楽を聞いている最中も脳は活発だと脳科学者は指摘しています。このため、思考に近いものでありながら、音楽は言語によらずに思考に近いものを生み出せると言えるでしょう。

心の何層もの領域を探求して、言語によるものでない意識に触れるための活動は、どれもが概念による分断を生まない性質のものです。これにはクラシック音楽も含まれます。私はインドの古典音楽の演奏を好んで聴きます。というのも、演奏者が歌う言葉が一言も理解できないからです。歌詞は大体が一行のみで、「アーラープ」という部分しか聞き取れないようになっています。もちろん素晴らしい歌詞付きの音楽も楽しみはしますが、鑑賞中に歌詞から連想された思考が生まれてきてしまうのは避けられません。

また、豊かで奥深い感情も、言語的な脳の働きではない心に関する現象です。感情を言葉で表現することはできますが、実際は言葉を必要とせずにも存在するものです。

音楽、芸術、感情。これらは定義を必要とせず、要素に分解することができない、心のより深い部分から発生しているものです。人間の意識の根幹部分に近い経験であり、言葉で表現されるときを除いては、言語的な脳の機能からは独立してあります。純粋な、思考のルーツだと言えるでしょう。しかし、言語が思考や表現に関わった瞬間に、分断が生まれます。

言語は分断と結合、両方の機能を持ち合わせています。例えば、ほとんどの人にとっては母語が心地良く聞こえるものであり、外国語には抵抗感や不快を感じるものです。これは意識されることがあまりないかもしれませんが、確かに存在している違いです。

心が私たちの味方となるのは、分断しようとする性質から自由になったときです。反対に、心が敵になるときには、全てを分断しようとする傾向が強くなります。このように分断から自由になった心、私たちの味方である心は、言語的な機能からは独立しています。豊かな感情や、音楽などの芸術に関わるものです。このために、バクティとバーヴァ、信仰と感情は魂の成長のための実践としても重要だとされています。深淵な理解と鋭い知性をヴェーダの書物から得たとしても、知識は言語の領域にとどまっています。しかし、私たちがバーヴァの中に没入するとき、言語的、分断的な構造から自由になることができます。このとき、全ては一つになっています。この一体感に近い体験は、歌詞のない美しい音楽を聴いているときにも得られます。

バーヴァという言葉で示されるような感情とは、言語で表すことができない、あまりに奥深く、豊かな感情です。このような感情を抱くとき、私たちは言語がいかに限られたものであるかを理解します。あまりに素晴らしいものを目にしたときに、私たちはよく「言葉では表すことができない」と言いますが、どれだけ言葉を選んでも、ある領域を超えては表現できないものがあるのです。全ての存在の本質、そして源である何かは、言語で表すことができず、言語的な思考が到達できない場所にあります。ケーナ・ウパニシャッドに書かれた「思考によっては到達できない何か」とは、このことを指しているのです。

ここで注意しなくてはいけないことがあります。思考によって到達できないとしても、私たちにできることが何もないというわけではありません。言語や空間、分断や限定に囚われている心では、到達ができないだけなのです。この事実が経験的に理解されたとき、心は自ずから沈黙することでしょう。沈黙の中ではじめて、意識の深層に向かって私たちは進んでいけるのです。こうして心は敵ではなく、味方となります。しかし、日常的な言葉のやり取りの中に心が埋没している限り、沈黙が訪れることはありません。このようなわけなので、沈黙の領域に到達した聖者の中には、経験を全く話さないまま過ごした人たちもいました。これはどのような言葉をもっても語ることができないものだからです。

ラーマクリシュナ・パラマハンサには、在家にも出家にもたくさんの高名な弟子がいましたが、中でも特に抜きん出ていた人物がいました。ラーマクリシュナの周りに集まった真摯な求道者たちや、何時間も瞑想の修行を積む修行者たちの中で、ギリシュ・チャンドラ・ゴーシュという劇作家であり、詩人、プロデューサー、アーティストでもある人物は特に目立った存在でした。

ギリシュ・チャンドラ・ゴーシュは俗世の快楽の全てを味わい尽くした人物でした。朝夕にかかわらず彼は誰かの家でひどく酔っ払い、彼の顔はいつも真っ赤になったり、真っ青になったり、真っ黄色になったりしていたものでした。酔っていないのは眠っているときくらいだったそうです。ギリシュはアルコール中毒者で、起きているときは悪霊に取り憑かれたかのようでした。しかし、彼はラーマクリシュナに深い愛着を感じていました。彼とラーマクリシュナの間には、他の誰も理解できないような絆があったそうです。ラーマクリシュナを訪れた彼は座って話し込み、ときには暴言を吐くこともありました。彼は夜更けに酔っ払った状態でラーマクリシュナを訪ねて、師に対して怒鳴るようなこともあったのです。

信者たちはラーマクリシュナに言いました。「なぜ彼のような、いつもあなたを罵っている酔っぱらいを相手にしているのですか？　あなたが仰ってくだされば、いつでも彼を出入り禁止にできるのですよ。」

ラーマクリシュナはこう答えたものでした。「これは私たち二人の間のことです。干渉する必要はありません。」

ラーマクリシュナは真の師でした。ラーマクリシュナはギリシュの内面に輝く、火の粉のような光を見抜いていたのでした。いつか火の粉が大きな炎となる日を待ちながら、彼はギリシュを見捨てなかったのです。ギリシュも自らの生き方を変えようと努力しましたが、なかなか簡単に変わることはできませんでした。しかし、自分の内面にある何かを見つけたいという強い思いが彼自身にもあり、また、師を愛していたために諦めなかったのです。

ある日、彼はラーマクリシュナに言いました。「私は一体どうすれば良いのです？　たくさんの人たちがあなたを訪れ、偉大なヨーギーや聖者になりました。しかし、私は相変わらず昔のままです。お願いします。私のために何かをしてください。」

ラーマクリシュナは言いました。「あなたの全存在を私に明け渡すことを誓えますか？」

ギリシュは答えました。「はい。」

ラーマクリシュナは言いました。「待ちなさい。全てを明け渡すのは、あなたにとって不都合にもなるのですよ。よく考えて決めなさい。どんな状況でも私に全てを明け渡すことを誓えますか？」

ギリシュは答えました。「はい、どんな状況でも、私はあなたに従います。」

この出来事のあと、ギリシュは酒を飲むことができなくなってしまいました。酒の盃に触れた瞬間に、師の顔が思い出されてしまうのです。何年も後、西洋からインドに帰国したスワーミー・ヴィヴェーカーナンダは、欧米から訪れた弟子たちにギリシュを次のように紹介したそうです。「ギリシュの例はまさに奇跡のようなものだ。彼がこうして生きていて、人々から尊敬されるような人物になったのは、師のラーマクリシュナ・パラマハンサが世にもたらした奇跡の一つに他ならない。」

魂の成長において「娯楽にとらわれてはならない」とあなたは言われますが、これはどういうことですか？

娯楽は悪いことではありません。常に忙しなく、ストレスの溜まった状態にあるのは良くないので、ときには娯楽も必要です。

私が言いたいのは、あなたが真理を求めるならば、ただの楽しみや気晴らしのための思考や活動は、探求の過程のある地点においては手放されなければならないということです。個人にとってただ都合が良く、楽しめるような何かを真理だと思いこんでしまう過ちを、人々は犯してしまいがちだからです。

例を用いて考えてみましょう。

あなたが頭痛で苦しんでいるときには、頭痛薬を飲んで病気を治そうとするものですね？　もちろん、頭痛薬が根本的に原因を解決するわけではありませんが、痛みを抑えるために薬を服用するでしょう。カール・マルクスはかつて言ったものでした。「宗教は大衆のための阿片である」、と。彼の言葉を宗教の批判だと捉える人たちもいますが、私は建設的な視点だと思います。

頭痛がなくなったとき、はじめて私たちは物事を見極めることができます。何かに苦しんでいるときに、考えることはできません。ですので、痛みやストレスの対処法として、マルクスの言葉を用いれば「阿片」が使われるのです。痛みがなくなれば薬も必要なくなり、服用をやめて、病の根本の原因を考えることができます。

人間にとっての娯楽も同じことです。ときには娯楽が必要不可欠な場合もあります。友人と会って、美味しい食事をする。これも娯楽の一種です。人間は娯楽なしに生きることはできません。そのため、娯楽は欠かせないものではありますが、娯楽を人間にとっての本質的なものだと勘違いしてはいけません。

古めかしい宗教的な儀式や慣習から自由になったと、無宗教の現代人は喜んでいます。しかし、実際、彼らはただ表面的に異なる慣習を作り出しているだけなのです。人間の心が新たな慣習に傾倒すれば、人間の心の集合体である社会にも新たな決まりごとができます。娯楽も慣習の一つです。慣習は多くの人にとって必要なことですが、真に自由な人物にはもはや無縁なものです。どんな慣習も必要のない人物は真に自由だと言えるでしょう。もちろん、無理に表面的な真似だけをしても仕方がありませんが。

娯楽は精神の健康を保つために必要ですが、真理とは全く異なるものであるのは明らかです。頭がはっきりとしているうちに、自分自身が求めているものを明らかにしましょう。そうしなければ娯楽の中に取り込まれて、現実に近付くことができなくなってしまいます。

では、どうすれば良いのか?

まずは自分の思考をよく観察しましょう。ただ心地の良い思考、自己満足に繋がるような思考に気を付けなくてはなりません。これらの思考を注意して観察するのです。どのような思考が自分の心にあるのかをしっかりと意識することが大切です。

真理を本当に追い求めている人はごく少数です。一般的に、人々は自分にとって都合の良い事実のみを求めています。純粋に真理を探求している人は稀なのです。「スピリチュアル・エンターテイメント」という言葉で表されるように、魂の成長においても人々は娯楽を求めているのです。もしくは、彼らにとって都合が良く、素晴らしい「真理」を。

または、安定や安心を求めている人たちもいます。真理が表面上の安定や安心とは直接に関係がないものだとわかった途端に、この人たちは探求をやめてしまうのです。むしろ、真理を求める過程では、安定や安心のための土台は全て崩され、「自分」というアイデンティティを構成するありとあらゆるものが失われるのです。これは本当に真剣な人でなければ耐えることができません。

それでも、あなたは真理を求めようと思いますか?

――瞑想中にいつも思考が浮かんできて心が落ち着きません。なぜ心はお喋りなのですか？　落ち着いて、静かな状態を保つことはできないのですか？　筋肉のように、必要なときにだけ心を使うことはできないのでしょうか？

なぜ心は常に忙しない状態にあるのか？

心とはそういうものであるのです。「なぜ」を説明することは私にはできません。

ときに、私たちが「なぜ？」と問う行為は、現に起きている事実から目をそらそうとする心の表れでもあります。

私にも理由はわかりませんし、あなたにも理由はわかりません。本を読めば答えが書いてあるかもしれませんが、ただの借り物の知識に過ぎません。実際、誰にも理由はわからないのです。

わかっているのは、心とはそういうものであるということです。すべき問いは「この事実にどう対処するのか？」なのです。

どうやったらお喋りな心から自分は自由になれるか？　「自分」が心から自由になることはありません。なぜなら「自分」とはお喋りな心そのものだからです。

わかりますでしょうか？　思考が次から次に浮かんできて、お喋りな心の一部として「自分」があるのです。このような自分という存在が、どのようにして心から自由になれるでしょう？不可能なことです。では、どうすれば良いのか？　ここからが少し勘違いをしやすくなるところです。たとえを用いて考えてみましょう。

私が木の下に座って瞑想をしているとします。瞑想をしながら私は考えています。「このお喋りな心をどうにかしたい。けれども、お喋りをしている心自体が自分なのだから、自分が心から自由になることはできない。お喋りから逃げようとしている自分がお喋りをしている張本人なのだ。お喋りな心からの出口はないようだ、どうすれば良いだろう。仕方がないから諦めてただ木の下に座ろう。何かを試しても仕方ない。内面に向かおうとも、外側に向かおうとも、心は常にそこにある。全てを手放して、ただ座ろう。」

「お喋りな心をどうにかしよう」とすれば、さらにお喋りは勢いを増します。ここには二つの声があるように見えます。片方にはお喋りをする声、他方にはお喋りを止めようとする声です。しかし、実際は一つのものしか存在しないのです。この全てがお喋りであり、一つの心なのです。

私たちは心を二つに分けることに慣れてしまっています。心の一部が「純粋で善い自分」を演じており、他の部分を「悪い自分」というふうに見るのです。これも全て思考であり、心の一部にしか過ぎません。全ての思考は同じ一つの心から生まれています。しかし「この部分は怒りっぽいから良くない」「この部分は妬み深いから良くない」という思考が一方に、そして「自分は純粋で善良な存在なので、他の部分を抑制しなくてはいけない」「お喋りな心から自由にならなくてはいけない」という思考が他方にあります。このように分断された心が葛藤を生むのです。

全ては一つの心であるということがわかりますか？　どこにも出口はなく、ただ静かに座るしかないのだという結論が理解できますか？　どこかに出口を求め始めれば、すぐに心がお喋りを始めるのです。

ここまではわかりますでしょうか？　このことを説明するのは難しいのです。複雑なことを説明しているわけではないのですが、ときに頭の中は様々な概念で満杯になっていて、実は単純なことをわかりにくくしてしまうのです。

私たちの中にあるのは一つの心でしょうか？　それとも二つの心でしょうか？　また、心は何で作られているのでしょうか？　心は思考の集合体です。このため、「思考のない状態にならなければならない」という思考がありながら、他の部分は何かの思考を考え続けているのです。しかし、両方は違いのない、ただ一つの心なのです。違いを乗り越えて、全てを一つと捉えられるのが「アドヴァイタ」と呼ばれるものです。アドヴァイタは「私はブラフマンと一体であり、世界は幻に過ぎない」と頭の中で思うことではありません。このような思考はたちの悪い冗談です。世界が幻であるのなら、食べ物なしに生き延びることができますか？

思考が作り出す分断こそが幻なのです。あなたが完全な沈黙を経験するとき、分断がなくなり、心はお喋りを止めることでしょう。どうすればこの沈黙が得られるか？　このための確実な手段はありません。技術や手段よりも、大事なのは経験による理解です。この沈黙を見つけることができれば、ここにも、あそこにも、全ての場所に沈黙が満ちているのがわかります。木の下に座ろうとも、芝生の上で休もうとも、どこにも同じ沈黙があるのです。

実のところ、芝生の上に座ることで、芝生を痛めてしまうのは良くないことですね。人間の耳には聞こえませんが、芝生にも痛みがあって、人の重さにつぶされているために声を上げているのです。私たちは聖者ではないのですから、これは仕方がありません。それぞれの人が異なる問題を抱えているものです。しかし、ここまで説明してきたようなことを体験として理解できれば、全ての存在が同じ一つのものとして迫ってくるのです。芝生にも人間にも違いはありません。唯一存在するのは一つの心であり、心から生まれる思考の波が消えたとき、ただ残るのは静かな海だけがあるのです。

この問いをまた違う角度から考えてみましょう。

人間の心は常に何かを求めているか、常に何かを避けています。執着と嫌悪という二大要素が心の大部分を占めているのです。この二つがある限り、心のお喋りは決して止まることがありません。それでは過度な執着と嫌悪をどのようにして取り除くのか？　執着と嫌悪が消えたときに、はじめて心は完全な沈黙を得ることができます。執着と嫌悪から心は自由になれるのだと私は考えます。

ただ何もせずに一人で静かに座ることはできますか？　もしできれば、あなたの心を次第に沈黙が満たしていくことでしょう。しかし、焦りは禁物です。沈黙が本当に心の中を満たしたときには、それ以降は沈黙が常にそこにあり続けます。騒がしい市場のど真ん中にいても、周りの騒音にかかわらず、静かに座って沈黙を楽しむことができるようになります。あなたの心はもはやお喋りではなくなっているはずです。そこにはただ喜びがあるのみです。瞑想で問題なのは周りの騒音ではありません。あなたの心、私の心、私たちの心がお喋りをやめないことが問題なのです。

あなたの心の中でお喋りをしていない部分はありますか？　考えてみてください。あなたが瞑想をするとき、「これは正しい、あれは間違っている、これでもない」というような思考なしに、ただ静かに座ることはできますか？　心の中に分断を作らずに、ただ座ることはできますか？　全ては可能なのです。なぜなら、あなたの心の奥底には沈黙があるからです。例えば、静かな湖や雄大な山を眺めているとき、あなたはこの沈黙を経験するはずです。

しかし、常に比較したりジャッジしたりと忙しい私たちの心は、この沈黙に出会うことが少ないものです。

例えば、私が自宅のテラスから満月を眺めているとします。夜空の美しさは素晴らしく、しばらくは全てが止まったようになり、私の心も静かになっています。こうして月を眺めていると、どこからかお喋りな心がやってきて「一九五八年にも月を見ていた夜があったのを思い出すな。あのときは三日月だったっけ」と思考を始めます。目の前にある満月はもはや完全に意識からなくなってしまいます。月を眺めるのをやめて、心がお喋りを始めたからです。それから比較を始めるでしょう。「前にも満月の日があった。あの夜は妻が私にスプーンを投げつけて、それから……」というように。このように心がお喋りを始めるのは誰もが知っていることでしょう。ちなみに、妻がスプーンを投げつけてきたのは、冗談です。

このように比較をするのではなく、例えば、ある女性を見て「彼女はとても良い人だ」とただ純粋に言うことはできるでしょうか？　「彼女はあんな人のようだ、いや、こんな人かもしれない」というような比較をやめたときに、善の性質を人々の中に見ることができます。比較が始まった途端に問題が生まれてきます。比較することなしに、ただ物事そのものを見ることです。「彼の方が優れている」「彼女の方が優れている」「私は劣っている」「私の方が優れている」「あの人は全く話にならない」などの思考から自由になりましょう。比較と分断の思考がなくなったときに、全ては同じ一つの存在なのだという理解が生まれるのです。このときに心もまたお喋りを止めることでしょう。

――人間は他人との交流を通して自分の心の働きを理解する一方で、一定の期間の孤独も重要だと言われます。これはどういうことですか？

まず、孤独という言葉の意味を理解しましょう。孤独とは他の人々から隔離された状態ではありません。他人や何かしらの強制など、外的な要素によって隔離はもたらされます。内的、外的にも静かになれる環境を求めるのが孤独です。

孤独は人生においては欠かせない要素です。この世の中で精力的に活動する時間の後には、心を静めて内観するための時間が必要なのです。世の中に適合できなかったという理由で孤独を求めるのではありません。例えば、大企業の多忙な役員であっても、年に数回は休暇をとります。なぜでしょうか？　物理的また精神的な繰り返しの日々から、少しの間だけでも心を自由にするためです。こうしてはじめて、何かを真剣に考えるための余白が生まれてきます。このため、孤独においては内観がとても重要になります。どのような人にも孤独の期間は必要なのです。

孤独といっても洞窟の中に座って瞑想する必要はありません。他の人に邪魔をされずに静かに座れる場所があればどこでもかまいません。体力や気力を浪費することのない、快適な環境が良いでしょう。孤独の時間にずっと眠っていてはいけません。眠るだけであれば誰でもできることです！

孤独の期間を過ごす場所の近くに、散歩道があれば理想的です。植物を観察したり、木々を眺めたり、それから小川の側に座って自分の心を観察してみるのです。自分の心とは一体どういうものであるのか？　思考はどのように生まれ、消えていくのか？　この全てを生み出しているのは自分なのだろうか？　思考の流れから自由になるにはどうすれば良いだろう？　これが孤独です。孤独は必要不可欠なのです。しかし、外の世界との交流がないような孤独が素晴らしいと言うのではありません。外の世界で活発に過ごす六か月があるからこそ、全く交流のない六か月間との違いがわかるだけなのです。そうでなければ私たちは違いを理解できないでしょう。

人間が幸福と呼んでいるものは、二つの悲しみの間に挟まれた、短い休憩時間であるに過ぎません。一つの悲しみが消え、次の悲しみが現れる前に、しばらくは幸福であると感じているだけなのです。自分の心を観察してみれば次のような繰り返しの過程があるのがわかるはずです。今日はあるものを欲しがり、そのために努力をして、手に入れた後、しばらく努力をしなくて良い間は幸せになっている。しかし、何かを得るために努力をしていない状態もすぐに終わり、手に入れたものに満足しなくなったとき、また他の何かを求め始めてしまう。欲望、心の動き、活動が生まれる前の期間を、私たちは幸福と呼んでいるのです。そうして次のものを求め、得られた後にはしばらく満足があります。この満足も思考であるということが、心を観察してみればわかります。

何かを達成した満足感と心の落ち着きはしばらく続きます。幸福感がそこにはあります。それから幸福を邪魔する他の何かが頭をもたげます。同じように、また達成のために努力を始め、達成した後に幸福になります。この幸福とは何を意味しているのでしょうか？　幸福とは心が忙しく動いていない状態のことです。何かが達成された後、心はしばらく休むことができます。何かを得ようとする努力が始まったとき、心は再び落ち着きをなくします。

あなたが何かを得たか失ったかにかかわらず、常に心が休まった状態に保つための方法があるとしたらどうでしょう？　これが幸福の源ではないでしょうか？　このことが理論的にだけではなく本当に理解されたときに、特別な努力や何かをすることなく、決して変わらない平安を心にもたらすことができるのです。

孤独の期間を設ける場合に、夫婦はこの期間を別々に過ごすべきですか？　または一緒に過ごすべきですか？

私にはわかりません。それぞれの夫婦が決めることでしょう。もちろん、一緒にいながら孤独の中にいられるのなら素晴らしいことです。別々に孤独の期間を過ごしたいのならば、そうすれば良いことです。ただ、次のことはお互いに理解しておくべきです。「私たちは喧嘩をしたり憎み合っているわけではなく、しばらくの孤独の期間が純粋に必要なだけなのだ」と。それであれば孤独の中でしばらく過ごすのは悪い考えではないでしょう。

心の働きを理解するのに内観は重要なのですか？

内観は心を理解するのに最も重要な部分です。シャンカラーチャーリヤ著の『ヴィヴェーカ・チューダーマニ』ではヴィヴェーカとヴィチャーラの二つが生を理解するために重要な要素だと書かれています。自分の内面で起きている全ての現象、自分と世界の交わりを注意深く観察するのが内観の意味です。何か具体的なものを自分の中に探すのが内観ではありません。

私たちは内観によって自分と他人、自分と世界の関係を見極めようとします。様々な状況で自分はどのように反応しているものだろうか？　自分はどうしてこのような反応をするのだろうか？　これらが内観においてされる問いです。自分の心を注意深く観察しながら、心がどのように欲望にとらわれているのか、心を依存状態のようにしているものは何なのか、を理解していくのです。

内観では次のようなことも自問されます。「自分は本当に全ての欲望から自由になりたいと思っているのか？　それとも、ただ鏡の前で映りが良く見えるための美容整形のようなものを求めているのか？　気分を良くするような即効薬やプラシーボで自分は満足しているのか？　それとも、本当に苦しみの根幹を知ろうとしているのか？　本当に救われるためには必要かもしれない、劇的な変化を受け入れる準備は自分にあるのか？」

――心を静かにするためには瞑想が唯一の答えなのですか？　他に何か手段がありますか？

瞑想が唯一の答えではありません。瞑想は優れた手段ではありますが、魂の成熟に繋がる何かに意識を集中させる実践であれば、同じように心の静寂を得られます。例えば、ある特定の神の象徴や姿や形を崇拝するという長年の習慣があるならば、床に座って崇拝の習慣を続けましょう。自然にあなたの心は神に向かっていくはずです。

心が散乱した状態にある主な理由は、私たちが日常生活の大部分の活動を嫌々やっているからなのです。例えば、自分自身に瞑想の習慣を強制することもそうです。あなたは瞑想をしたくはないのだけれども、やらなければいけないので瞑想をしている。心の奥底から本当に瞑想をしたいのであれば、瞑想中に気が散ることもないでしょう。音楽が好きだとしたら、あなたは音楽を聴いている間に気が散ることはあるでしょうか？　ありませんね。

瞑想の実践に加えて、あなたが没頭できて、心が落ち着くような美しい音楽を聞くのも良いでしょう。ただ、良質な音楽を聴くようにしてください。歌うのも良いことです。歌うことに完全に没頭できるのなら、これも一つの素晴らしい瞑想の形になります。

瞑想をあるテクニックに限定しないようにしましょう。他の全てを意識の中からなくして、一つの何かに没頭することが瞑想なのです。あなたの好みの形を選んでください。けれども、だからといって、自分が選んだもの以外は間違った瞑想なのだとは思わないように。

音楽を聴いたり、歌ったりするのが好きなのであれば、音楽の流れの中にあなたを導いてくれるようなものに意識を集中させましょう。楽器を演奏して音に集中したり、音楽を聴いたりしている間、あなたの意識は完全に音楽の流れの中にあることでしょう。そうすれば気が散ることもありません。この状態をしばらく維持することができれば、他のものに気を散らされずに集中することを心が学ぶはずです。他にも助けとなる手段があるのであれば、あなたの日々の実践に取り入れるようにしましょう。

ポジティブ思考に関するアドバイスをいただけませんか？　半分が水に満たされたコップを見ても「半分が空である」というように、私はいつでも消極的な見方をすると家族に言われます。

私にとっては、何かが空であることは悪いことではありません。むしろ、空であるのは素晴らしいことです。私たちは空の状態を悪いものだと考えてしまいがちです。コップの半分が空であるのは悪いことではありません。もし空でなければ、どうやってコップを満たすことができましょうか？　現代人には「空」は悪いイメージを持つようになってしまいましたが、これは間違った見方です。

もちろん、コップの例は、いつも物事の悪い側面ばかりを見て、良い側面を見ようとしない人たちを揶揄するものです。逆に肯定的に物事を捉えようとして、「このコップは半分も水に満たされている」と人々は言おうとします。しかし、現実として、コップの半分が満たされているときには、同時に半分は空であるのです。二つの事実は対立関係にはありません。

空の状態は同時に満たされてもいます。そもそも満たされているものとは何でしょう？　空の空間がなければ満たすことはできませんね。ですので、空というのは素晴らしいものです。空であるのは良いことだと考えましょう。

究極のニルヴァーナはシューンヤだと仏教徒は説きます。シューンヤとは何か？ ゼロのことです。あなたの家族はポジティブ思考かもしれませんが、だからといって、あなたが日常生活でネガティブなわけでもないでしょう。

空という言葉は人々に闇を連想させます。しかし、闇は美しいものなのです。実際、サンスクリット語で闇はクリシュナと言います。クリシュナ神は黒かったのです。また、白はシュクラとなります。繰り返すように、クリシュナは闇です。世界はグレーの領域に満ちているものなので、物事を白黒に分けないようにしましょう。

絶対悪と絶対善、サタンと神といった対立構造はユダヤ教に色濃い考えです。古代インドの教えによれば、悪魔と神は存在しますが、超越的な存在は二つを超えたものです。そして、悪魔にも良いものがいたり、神にも悪いものがいたりします。このような場合にはどうすれば良いでしょう？

善悪を分ける明確な境界線はありません。誰でも善悪の両方を兼ね備えているものです。そうではありませんか？

通常の人間の脳の八割が使われていない状態だとされています。どのようにこの部分を目覚めさせることができますか？

まだ探求されていない脳の領域があると仮定して、ヨーガの科学にその答えを求めてみましょう。

『バガヴァッド・ギーター』の各章には「アルジュナ・ヴィシャーダ・ヨーガ」のようにヨーガという名前が付けられています。ヨーガの科学によれば、意識の中枢を目覚めさせるためにはいくつもの方法があります。

神経が集中している叢《そう》という部分を通して、自律神経系を制御することからヨーガの科学は始まります。これらの叢が位置している部分は、ヨーガの科学におけるチャクラの身体的な対応か所とされています。そして、心の深層を探求するための簡単な方法には、座って呼吸を観察するというシンプルな実践があります。

何か特別なイニシエーションが必要なわけではありません。このシンプルな方法の実践こそがイニシエーションです。イニシエートとは何かを始めること、変容の道に人を導き入れることなのです。暗い部屋の中での神秘的な儀式などはいりません。もし神秘的な雰囲気のものであるならば、むしろ避けるようにしましょう。真理とは太陽のようなものであり、真理の光はあなたにも他の人にも、全ての人に降り注いでいるのです。

境地の高い人物の心とはどのようなものですか？

『バガヴァッド・ギーター』では、魂の成熟した人物はスティタプラギャと呼ばれます。心が静かになり、落ち着き、不動になった人のことです。スティタプラギャはどのような状況でも常に平静な心を保つことができます。彼は自己を深く探求して、全ての存在の中にある意識の輝きを発見したからです。この意識の輝きをアートマンというのか、真我というのかは個人の好みでしょう。この輝きは私たちの真のアイデンティティであり、決して乱されたり、脅威にさらされたり、壊れたり、失われることがありません。ただの理論としての理解ではなく、自分自身にとっての現実として知識を体現する人物が、スティタプラギャなのです。

このような人物は狭い部屋の中でずっと瞑想をしているとは限りません。市場の中心にいたとしても、彼は落ち着いた心を保てるからです。どのような状況でも心の平静を崩さないこと。そして、たとえ行動の自由を奪われた状況でも、内面の完全な沈黙を維持していること。これらがスティタプラギャの条件です。

もちろん世の中で生きるために、平静を乱されたかのような態度を見せる演技が必要な場合もあります。しかし、このようなときも彼の内面の状態は変わらないままです。このように生きられるのは真のヨーギーだけです。しかし、常にそのように世の中で生きていたら、平静で人畜無害な態度の人物を人々は利用しようとするのではないか？　このように他の人々が作り出す問題にどう対処するのか？　このような問いがしばしば聞かれます。

まず、心の源と常に繋がっている人には、どのような状況でも最善の選択をしてくれる知性が自ずから働いてくれるものです。また、演技をしなければならない場合でも、内面の奥底には怒りや憎しみが存在しないので、問題にもうまく対処することができます。社会から遠く離れた洞窟に住んでいるのではなく、私たちは世の中に生きているのですから、状況に合った行動をとるのは必要な技術です。

ブラフマチャーリーと蛇が登場人物の、ある寓話を紹介しましょう。この寓話ではお喋りをする蛇が登場しますが、ありえないことだと思わずに、しばらくの間は我慢して聞いてください。

昔々、ある村にとても危険で猛毒の蛇が住んでいました。危ない蛇がいるので村の誰もが蛇の住んでいる通りは避けていたものです。蛇はいきなり襲いかかっては人々を殺してしまうのでした。ある日、ブラフマチャーリーが蛇の住んでいる通りを歩いていました。村の少年たちは彼に言いました。「気をつけた方がいいよ。あの近くには蛇がいて、襲われたら最後、生きて帰ってはこられないから。」しかし、ブラフマチャーリーは自分なら対処できると答えて、通りを歩いて行きました。

物語によれば、蛇はブラフマチャーリーに襲いかかろうとしましたが、彼があるマントラを唱えたので、蛇はとたんに大人しくなったそうです。マントラの効果で心の平安を見つけた蛇は、ブラフマチャーリーに尋ねました。この心の平安が自分の中に常にあるようにしてくれないか？

そのためには何をすれば良いのか？　ブラフマチャーリーはいくつかの助言を与えた後、一つ条件を与えました。今後、決して人間に噛みつかないことを蛇に約束させたのです。「決して人間に噛み付いてはいけないよ」とブラフマチャーリーは言いました。師匠の教えに従う弟子のように、蛇は約束を守ることを誓い、自分の住む穴の中に戻って行きました。

それから一年後、ブラフマチャーリーが再び村を訪ねました。驚いたことに、かつて蛇が住んでいたために誰も近づかなかった通りを、村人たちが歩いていたのでした。通りで遊んでいた子どもたちに、蛇はどこに行ったのかとブラフマチャーリーは聞きました。「ああ、あいつは穴の中にいるよ。背骨を怪我しているんだ。」ブラフマチャーリーは穴の中を覗き込んで、蛇がまだ生きているかを確かめようとしました。

穴の中には蛇が横たわっていました。師のブラフマチャーリーが呼びかけると、弟子の蛇はゆっくりと、痛々しい様子で外に出てきました。何が起きたのかと彼は蛇に尋ねました。

ブラフマチャーリーの姿に喜んで、蛇は言いました。「師匠よ！　なんと素晴らしいことだろう、またあなたが来てくれた。あなたの教えを私はちゃんと実践していますよ。おかげで心はとても落ち着いています。教えは本物でした。けれども、私はあまり自由に身動きがとれません。私が噛みつかないことを知って、子どもたちが石を投げつけてきて、背骨が折れてしまったのです。」

蛇の師匠として、ブラフマチャーリーは蛇を穴から出して、背骨を治癒してあげました。それから彼は言いました。「馬鹿者め。噛みつかないようにとは忠告したが、威嚇してはいけないとは言わなかったぞ。」

世の中で生きていると威嚇が必要なときもあります。しかし、攻撃してはいけません。威嚇の演技をするときにも、自分の内面が影響されていないかを観察しなくてはなりません。しかし、困ったことに、人間はとても賢く、騙し続けることはできません。威嚇するのみで攻撃する意思がないと相手に見抜かれたとき、この状況をどう対処するかはよく考えるべきでしょう。しかし、このようなときにも、私たちを助けてくれる内面の知性の働きが確かにあるのです。

どのように対処すべきかわからない状況に直面することもあります。そんなときにどうするか？　内面の源に立ち返り、核の部分から、私たちの全存在を満たす平安を受け取るのです。そのとき、私たちを困らせている相手の心にも、幾ばくかの平安がもたらされることでしょう。そうして問題は解決するのです。

――世の中の全ての問題は人間の心にあるとあなたは言われます。しかし、個人の意識は微細な、永遠の意識に繋がっているのではないのですか？

それがあなたの考えなのですね？　ということは、その理解はまだ思考の産物なのです。思考は心の中にあるものです。

それでは、この問題をどうすれば取り除くことができますか？

問題を取り除くことはできません。まず、問題がそこにあることを認めなくてはいけません。そして「そもそも問題などはないのだ」と理解するのです。しかし、それ以前に、そもそも問題が何なのかを見極める必要があります。人々は問題を取り除こうとして焦りすぎます。これでは埃を掃いて絨毯の下に隠すようなものです。問題をはっきりと見極めましょう。そうしたときに自ずから問題はなくなります。他に何かをする必要はありません。

しかし、問題をはっきりと見極めたとしても……

あなたはまだ問題と完全に向き合っていないのです。そもそもの問題はそこにあります。

しかし、問題に向き合ったとしても……

あなたはまだ問題にちゃんと向き合っていません。「存在するのはただ一つの意識のみなのだ」という前提で、あなたは問題を捉えようとしています。思考を捨てて、問題をありのままに見極めるのです。

6
瞑想における障害物

瞑想が楽しくなくて、すぐに退屈してしまいます。瞑想の代わりはありませんか？

あなたが真剣に瞑想に取り組もうとするならば、瞑想に退屈することはありません。それで退屈しているとしたら、とても変な話です。おそらく、あなたは瞑想に本気ではないのでしょう。誰かに言われたから瞑想をしているのかもしれません。または、目標がはっきりとしていないのかもしれません。自分の求めているものがわからず、ただ他の人たちがやっているという理由で、瞑想をしているのかもしれません。だから「瞑想が楽しくなくて、すぐに退屈してしまいます」ということになるのです。この理由を考えていきましょう。

あなたが「瞑想のために座っていると退屈してしまう」のならば、瞑想をしているべきではないのでしょう。他の活動に取り組んでください。散歩をしたり、薪を割ったり、退屈しないように何か仕事をするのです。本を読むのもいいでしょう。瞑想に関心があるのなら、瞑想に関する本を読みましょう。瞑想したいと思うようになるかもしれません。

もし退屈してしまって瞑想ができなければ、他にできることはいくつかあります。庭仕事をして花の香りを楽しみ、鳥を観察しましょう。庭にはやることがたくさんあるので退屈はしないはずです。また、窓の外を眺めてみれば、景色は毎分のように変化しています。ある鳥が訪れたと思えば他の鳥が去り、フランクフルト空港に着陸しようとする飛行機のように、空から降りてきている鳥もいます。滑走路で待機する飛行機のように、全く動かない鳥もいます。こうしていれば退屈することもありません。

かつて私がクリシュナムールティ財団のチェンナイ本部で働いていたとき、私の友人に連れられて、ケーララ州出身の若者が訪ねてきました。友人によれば、この若者はいつも大麻を吸っていて、高揚した状態なのでした。クリシュナムールティの講演を聞きたくて彼はヴァサント・ビハールを訪れたのでした。私は彼に講演を聴く許可を与えました。講演中にクリシュナムールティが口を開くたび、若者は恍惚とした笑みを浮かべていました。大麻が相当に回っているようだと私は判断しました。講演の後に私は彼に聞きました。「講演はどうだった？　気に入ったかな？」彼は言いました。「素晴らしいものでした。けれど、彼の講演の内容は全部知っていたことだったので、わざわざ改めて話してもらう必要もありませんでした。」

あなたがとても退屈しているならば、できることはいくつかあります。冗談としてのたとえ話なので、おすすめしているわけではありませんよ。

瞑想中に眠くなってしまう人はどうすれば良いですか?

はじめに「なぜ瞑想中に眠くなるのか?」を考えてみましょう。まず、心が落ち着いているという点において、瞑想はうまくいっていると言えます。心が静かになったときに起きることは次の二つのうちのどちらかの状態です。意識が研ぎ澄まされた三昧の状態が一つ目です。二つ目に、まだ心に静けさがなく三昧に入る準備ができていないとき、リラックスして眠くなってしまうことがあります。

瞑想のために座ると眠くなるのは、ある程度は瞑想ができてはいるものの、まだエネルギーの経路が浄化されていない状態の表れです。それでは経路を浄化するためには何をすればいいか? 意識が高い次元に到達していないのはなぜか? 代わりに眠くなってしまうのはなぜなのか? これらの問いを見極める必要があります。重すぎる体重、適切でない食生活、寝不足、または瞑想への熱意の欠如が理由にあるのかもしれません。あなたが眠くなる理由をこうして考え、解決していくことで、次第に瞑想中の眠気がなくなってくるはずです。

けれども、あなたが「理由は後で考えることにして今は瞑想をしよう」と決めて、それでも瞑想中に眠気に負けてしまうようであれば、凍えるように冷たい水で顔を洗って、目を覚ましてから再開する手もあります。また、あなたに信頼できる師がいるならば、「私の頬をひっぱたいてください」とお願いしてみましょう。これらが具体的な対処法です。もちろん師に平手打ちをお願いするというのは冗談です。

長期的に気をつけるべきことは、眠気やだるさをもたらしている、食生活や日々の習慣は何なのかを知ることです。食べすぎてはいないか？　寝不足ではないか？　仕事が忙しくて過労しているのではないか？　日々の習慣から変えていく必要があります。ヨーギーは疲れすぎてしまうような仕事をするべきではないと、経典にも書かれています。仕事を含め、全てを中庸に行うのがヨーギーの道です。瞑想中の眠気にはこのように対処しましょう。

瞑想の習慣が続きません。また、瞑想中に気が散ってしまいます。どうすれば良いですか？

日々の時間割をしっかりと立てて、十五分から二十分の内面に向かう時間を作りましょう。ただ自分の呼吸を観察するだけでかまいません。これだけの努力であればできるはずです。

三か月や四か月毎に、何日かを孤独で過ごす時間を確保するようにしましょう。面倒を避けるためにも、できれば誰も知っている人がいない場所に出かけてください。アーシュラムのような場所でも、知り合いがたくさんいれば、人間関係の面倒に巻き込まれてしまいます。どこか人里離れた、美しい場所に行きましょう。数日間を過ごして、ただ瞑想をしたり、オームと唱えたり、呼吸を観察したり、新鮮な空気に触れたり、散歩をしたりするだけです。他に何か特別なことをする必要はありません。お茶を自分で淹れなくても、誰かが用意してくれるような環境が良いでしょう。

数か月毎に一週間から十日の孤独の期間をとることは、あなたの瞑想を深めていく助けになるでしょう。瞑想に関して理論的に知っていることでも、内面の事実として経験されなければならないのです。大丈夫です、あなたならきっとできます。

——ストレスを感じる人や状況に対処するとき、心を空にするのはとてもむずかしいです。思考が心に浮かんでくるままにすれば良いですか？浮かばないように抑えるべきですか？

人によるでしょう。個人個人で対処の仕方は違ってきます。ストレスに由来する思考を心からなくすのは難しいことです。実際、心は空のままではいられません。自然と同じです。すぐに空気が空間を満たすので、自然状態では真空は存在しません。同じように、心を空にしようとすると、もっとたくさんの思考が浮かんでくるものです。当たり前のことです。

ですので、心を空にしようとするのではなく、そのときの状況から独立している、何かしらの内面の活動に意識を向けましょう。例のひとつには呼吸があります。呼吸に集中することで、内面に起きていることに自動的に意識が向かいます。呼吸のリズムのみが心には残され、しばらくはストレスを感じる状況や人に関する思考から自由になります。呼吸に集中した意識を維持できれば、呼吸を観察している限りは、外部の状況に影響されない心の状態が得られます。ストレスはもはやなくなっていることでしょう。それからは呼吸に集中する必要もなくなります。

それぞれの思考を別々に切断し続けても、芝生のように思考は生え続けてきます。心の源に向かうことで、いつの日にか、何にも影響されない状態に到達することができます。

心は何かしらの活動に従事していないと静かにならないので、まずは内面の活動に意識を向けるところから始めましょう。ですので、呼吸の観察という活動を心に与えます。ルーティーンのように、呼吸の観察に心を没頭させてください。心が呼吸に集中している限り、外部の状況にとらわれることがなく、落ち着いた状態にあるのがわかるはずです。呼吸の観察の実践に熟達した後は、観察も必要なくなります。しかし、この状態に至るまでは観察を続けなければなりません。呼吸の観察をしなくてもよくなったとき、あなたの理解を超えた、素晴らしい体験が得られるでしょう。条件や限定に縛られた心を超越した体験です。

このためには実践あるのみです。しかし、続けていく中で、実践がただの儀礼のようになってはいけません。このことに気を付けるようにしてください。呼吸の観察をしているつもりでも、気が散っているようであれば、何度も何度も呼吸に意識を戻さなくてはなりません。呼吸が静かに規則正しくなったとき、心の全ては動きを止めて、あなたは内面に起きている何かを楽しめるようになります。この状態が経験されたら、もはや呼吸の観察を意識する必要もありません。ちゃんと意識が集中しているかという心配も無用になります。

気が散ってしまうのは何故かわかりますか？　心が外側に楽しみを求めているからです。心に蜂蜜のような何かを与えれば、あなたの元に戻ってくるのです。

瞑想中に未来への不安や過去の恐れで心が一杯になります。対処法を教えてください。

これは瞑想の最中だけの問題ですか？　それとも日常的な問題ですか？

両方です。
しかし、瞑想中に特に不安や恐怖がはっきりとしてきます。

そうであれば瞑想をする良い理由になりますね！　問題がはっきりすれば、解決のための行動をとることができます。瞑想をしない言い訳が不安や恐怖であってはいけません。座って瞑想をするとき、恐怖をはっきりと感じるならば、どのような恐怖なのかわかるはずです。恐怖の正体を見極めて、解決方法を探すのです。もっと長い時間の瞑想をしましょう。瞑想中に心は悩み、ぐるぐる回り、恐怖に駆られてあちらこちらに向かうでしょう。しばらくすると心は疲れ果てて、落ち着いてくるはずです。恐怖や不安を瞑想しない言い訳にしてはいけません。

怒りなどの感情も同じように対処できますか？

もちろん！　瞑想中、心の奥底に隠れていた怒りが表面に出てくることがあります。この怒りに正面から向き合って、「やあ、そこにいたんだね」と言うのです。このとき、「そこ」に怒りがあり、「ここ」にあなたがいます！　これは冗談ではなく真面目な話です。あなたは怒りを客観的に見ることができているのです。もし怒りを観察することができなければ、どのようにして解消ができましょうか？

怒りやその他の感情は小さな鳥のようなものです。鳥が飛んできたときには、「やあ、小さな小さな鳥さん」とあなたは挨拶をします。そうすると鳥は飛び去っていきます。じっくり観察して、写真を撮ろうとすると、鳥は逃げていってしまうものです。これは実際にそうなのですよ！　鳥だけでなく、人間の心にも同じことが言えます。あなたが感情を注意深く観察すると、感情は心地悪くなってきます。しばらくすると「おや、いなくなっていた！」とあなたは気が付くはずです。

感情をそのままにしておくよりも、抑圧してしまう方が単純ではないですか

ある種類の感情は捨ててしまえばいいということですね？　これらの感情は悪いものだと、あなたは考えているのかもしれない。そうして対処することで、しばらくは感情もどこかに消えたかのように見えるけれども、感情はあなたの元に戻ってきます。

世の中で生きていくために感情を抑圧する必要もありますが、抑圧された感情は再び表面に出てくるものです。抑圧は一時的な応急措置に過ぎません。根本的な解決法は、感情と正面から向き合って、感情が自分の中にある理由を理解することです。理由が解明されれば、感情に再び悩まされることはありません。

感情が表れるのにはいくつか単純な理由があります。まず、何か気に入らない出来事があったときの私たちのエゴの反応です。また、人生が順調に進んでいるときに、利害関係の一致しない他人との間に生まれる衝突。そして、感情と理性の言うことが一致していないときの葛藤です。

感情的になってしまうのには様々な理由があり、世の中で生きている限り、絨毯の下に埃を掃き入れるかのような応急処置も必要です。しかし、絨毯の下に隠してあるものと後に向き合う準備をしなければなりません。問題の根本的な解決方法をあなたは求めているのでしょう？

問題の根本に向き合わなければ、どれだけ絨毯の下に埃を隠しても、しばらくすれば再び表面に出てきます。もちろん、あなたが現状に満足しているのであれば、今のところは問題ないのでしょう。

感情の起伏から自由になるためにはどうすれば良いですか？

感情から自由になろうとする必要はありません。全ての感情が悪いというわけではないのです。例えば、愛情のように、人間にとって必要な感情もあります。愛情も感情の一つなのです。また、慈愛も人間の持っている善い感情です。避けるべきは、憎しみ、恐れ、暴力などの感情です。これらの感情を避けて、慈愛や愛情のような善い感情、善い考えや行いを保とうとするべきです。

悪い感情を避けるための唯一の手段は、善い感情の力をより強くすることです。善い感情を意識して抱くようにすれば、悪い感情が心に入る余地はなくなります。こうすれば、あなたは感情の波に支配されることもありません。しかし、悪い感情に集中すれば、あなたは感情に支配されてしまいます。

感情とは思考と本質的に同じものです。ほとんどの感情は最終的に思考の形で現れて、ほとんどの思考は感情から始まります。感情と思考は切っても切り離せないのです。なぜでしょう？感情は心の中で感じ取られるもので、心の中で起きる現象は思考を通して処理されるからです。ただ、生きた感情が現れるごく短い瞬間、思考は存在しません。問題は感情が思考と混同されたときにのみ出てきます。生の、純粋な感情は、意識の奥底にある中心部分から生まれてきているものだからです。

例えば、怒りの感情が急にやってきたとき、感情は私たちの判断を待ってはくれません。感情はただ心の中に生まれてくるものです。しかし、実践を重ねることで、怒りの感情が現れた瞬間に認識できるようになります。そのためにはとても注意深く、観察力の鋭い意識が必要です。

瞑想法の一つとして、怒りの感情の現れに意識を鋭く集中させて観察しようとすれば、怒りの感情の力がどれだけ強くても、感情を行動に移すことがなくなるでしょう。こうして一つの感情として怒りはあなたの内側に留まります。行動に移しさえしなければ、そして、ただ自分の中にある感情をありのままに感じられれば、愛の感情と怒りの感情の間には違いがないことがわかるようになるのです。腑に落ちるという言葉にもあるように、怒りも愛も同じようにして、胃の周辺に生じる感覚だという観察ができるようになります。わかりますでしょうか？　このことを理解するためには鋭い観察力が必要になります。

私は怒っていないので、今ここで説明するのは難しいですね。実際、意図的に怒りの感情を生み出すのは不可能なことです！

怒りの感情の源とは何なのでしょうか?

私を怒らせるような何かがなければ、怒りの感情は現れませんね。意図的に怒りを生み出すことはできないのです。感情は自然に生まれるものだからです。しかし、あなたに鋭い観察力があれば、怒りの感情が行動に移される前に、心の中に火の粉のように現れてくるのを意識できるのです。感情を現象として観察できれば、怒りとは妬みや他の感情と本質的には同じものだと気付くのです。感情が現れるとき、胃のどこかに熱のような感覚が生まれているのがわかるでしょう。この場所に意識を集中させていると、熱は身体中に拡散して、次第に消えていきます。怒りはなくなり、ただ美しいものが残っているのです。

しかし、この現象を観察するために無理に怒ろうとしないように。とはいえ、どうすれば意図的に怒ることができるのか私にはわかりませんが。

執着を手放すこと、心を自由にすることが大事だと言われます。しかし、心を自由にしようとすればするほど、思考が心にのぼってきます。良い解決法や手段はありますか?

執着を手放すのはテクニックではなく理解なのです。まず、このことをわかってください。今の世の中では何かをテクニックとしてすることが当たり前になってしまったため、私たちは常に新しいテクニックを探しているのです。これが問題です。手放すことは単なるテクニックではなく、一つの態度なのです。

例を用いて説明しましょう。私がとても音楽が好きな人だとします。インドの音楽、西洋音楽、偉大な協奏曲、ベートーヴェン、モーツァルト、どんな音楽でもかまいません。私が音楽を愛しているのであれば、何かの曲を聞いたとき、私は音楽に没頭するでしょう。何の努力をすることもなく、自然に没頭した状態が生まれるはずです。このとき、私は音楽以外の全てのものを忘れています。何の努力をすることもなく、深い集中状態で音楽を聴くことができるのです。

このような状態が手放すという態度の意味です。これは手段でも技術でもありません。あなたに本当に真剣な意志があるとき、補助的な手段や技術はむしろ独りでに離れていきます。なぜなら、ただのテクニックは何の助けにもならないことに、あなたは気が付くはずだからです。

マインドフルネスの実践においては思考が問題であり、障害物なのでしょうか？ 思考が分断や葛藤といった問題の根幹にあると私は思います。どのように対処をすれば良いですか？

まずは思考の性質を観察することです。思考が邪魔になっており、思考が分断を生んでいるのを知ることです。これが最初の一歩です。しかし、私たちは思考のできない状態を目指しているのではありません。これはしっかりと理解してください。思考のできない状態とは無意識状態のことです。

次に、ネガティブな状態からポジティブな状態に、心を導いていく必要があります。タットヴァの分類を用いるならば、心の状態には三種類あります。まず、怠惰で無気力な状態であるタモー・グナ。次に、活動的なラジョー・グナ。最後に、均衡のとれた静かな状態であるサットヴァ・グナです。サットヴァ・グナの心は落ち着き、静かな状態にあります。この段階では、思考を超えた状態に心が移行する準備ができています。しかし、サットヴァの状態に到達するためには、心理的にも哲学的にも、心の中の全てのネガティブな要素が浄化される必要があります。この方法の一つが、シャンカラーチャーリヤの「ネーティ、ネーティ」です。「求めている真理はこれではない、あれでもない。全て不完全だ」という、判断と識別のための過程が「ネーティ、ネーティ」です。

そうして最後に、心の中の毒が全て浄化された状態に至ります。心はもはや私たちに害を与えることがなくなります。この状態になると、心は自らを超越した状態へと自然に向かっていきます。

はじめのうち、心は二項対立の世界にあります。しかし、最終的に全ての二項対立はなくなります。この最後の場所では、ただ全てを手放すことだけが残された選択肢になります。目的に向けて弓矢を構えて力強く張るように、準備段階はとても重要なものです。しかし、目的を射るためには、最終的に弦から手を離さなければなりません。そうしなければ矢は飛んでいきません。弦を力強く張ったあとには、手放すこともまた必要なのです。

瞑想を始めるとすぐに考え始めてしまい、普段よりも思考が活発になります。これは自然なことですか？

はい、全く自然なことです。歩き慣れた道を離れて新しい道を進んでいくとき、「このまま進めば死んでしまうかもしれない」というように、心は極端にこわがってしまうものです。心はあなたの道を阻もうとして、気を散らすために思考を生み出したり、奥底にあった毒を吐き出したりします。このとき私たちの忍耐力が試されているのです。「大丈夫、何が起きているのかはわかっている。気にすることはない」と言って、進み続けなければなりません。

古代インドの神話に「サムドラ・マンタン」という海をかき混ぜる物語があります。物語には神々であるデーヴァと、悪魔であるアスラが登場します。インドの絵画や彫刻からもわかるように、アスラは巨大な口ひげを生やし、デーヴァは綺麗に整えられた顔立ちをしています。

サムドラ・マンタンは、アスラとデーヴァが共に原始の乳海をかき混ぜるお話です。乳海のかき混ぜ棒として巨大な蛇のヴァースキと巨大なメルー山が選ばれました。ヴィシュヌ神の警備役の大蛇であるヴァースキをメルー山の周りに巻きつけ、ヴァースキの両端をロープのように掴み、アスラとデーヴァは原始の海をかき混ぜ始めたのでした。ヴァースキは何と気の毒な蛇でしょう！

なぜ神々と悪魔は海をかき混ぜることにしたのでしょう？　彼らは海をかき混ぜたことで得られる聖なる蜜が欲しかったのです。この蜜を飲めば不死の長寿が得られると信じられていました。しかし、海をかき混ぜ始めて最初に出てきたのは、不死の蜜ではなく、ハラーハラ・ヴィシャムという猛毒だったのです。

海から出てきた猛毒が地球に広がるのを防ぐために、シヴァ神が猛毒を全て飲み込んだのだと言われています。猛毒を飲む夫の姿を見て、シヴァ神の妻は「このままでは夫は死んでしまう」と思いました。このとき彼女が夫の喉をつかんだために、シヴァ神の喉は青くなったのだそうです。シヴァ神が祀られている寺院に行ったことがある人は、シヴァ神の像の喉が青色なのに気が付くでしょう。シヴァ神の別名はニーラカンタと言います。ニーラカンタは「青い首をもつ者」という意味です。もちろん全ては神話ですので、物語の意味は象徴的なものです。

この神話で重要な点は、海をかき混ぜ始めたときに最初に出てくるのが猛毒だということです。何回もの過去生を聖者のように生きた人でもない限り、心をかき混ぜ始めたとき最初に出てくるのは毒なのです。あなたが自分について知っている全てのこと、知らなかった全てのこと、それら全部が表面に出てくるのです。毒を全て吐き出して、捨ててしまわなければなりません。制御しようとする必要はありません。出てくるままに任せて、全てを外に出し切ってしまうのです。この過程は水を熱したときの現象に似ています。熱された水からは空気の泡が発生して、蒸気となって立ち昇っていきます。あなたの心の中でも同じことが起きているのです。このことに落ち込んだりする必要はありません。「私の心はなんて汚いものなのだろう」などとは言わないように。「私の心から何かが出ていこうとしているようだ」と思うようにしましょう。心の中以外にどこから毒が出てくるのでしょうか？　ただ観察して、出てくるままにするのです。

チベット仏教では憤怒の像を瞑想するという修行があります。大乗仏教でも、温和な仏像と憤怒の仏像の二種類があります。チベット仏教でどのような瞑想が行われているかを少し説明しましょう。

まず、自分自身の身体を想像します。そして自分の身体が無の中に溶け込んでいき、ただ無だけが残されます。この無の中から憤怒の像が現れてきます。この像を見たことがありますか？なんとも恐ろしい形相をした像です。こうして自分自身が憤怒の像となり、心の中にある全ての怒りや憎しみが、像を通して現されるのを想像していきます。誰も周りで見ている人はいません。枕を引き裂き、物を投げ散らし、ありとあらゆる手段で怒りと憎しみを表します。そうして、次第に憤怒の感情が消えていきます。他の人に憤怒を向けるのではなく、憤怒の像の瞑想を通して、自分自身で憤怒に対処したのです。これで何が変わるのでしょう？　心の中の毒が消えていくのに気が付くはずです。

それから憤怒の像は取り除かれなければなりません。無の中に像を消して、再び自分の身体が現れるのを想像します。こうして最終的には自分自身に戻すことが重要です。

あなたが経験していることは誰もが通る道です。悩むことはありません。私自身も同じ場所を通ってきました。私は天から降りてきた天使ではないのです。厳しい修練を積んで今の状態に辿り着いたのです。あなたも現状に満足せずに、努力をする必要があります。

7 瞑想と日常生活

家庭や仕事の都合で忙しくて瞑想をする時間がありません。どうすれば良いですか？

時間がないというのは正当な言い訳ではないと私は思います。世の中の人々はたくさんの仕事があるからといって、映画を見る時間もないものでしょうか？ テレビも見ていられないほど忙しいでしょうか？ バドミントンをする暇もないでしょうか？ それでも犬を散歩に連れて行く時間はありますよね？

時間を作ることはできます。問題はそこにはありません。このような言い訳をするのは、あなたがまだ瞑想に本気ではないからです。瞑想をすることの意味をあなたはまだ本当に実感していないのです。家庭や仕事というのは言い訳です。私はこのような言い訳を認めません。本当に瞑想をしなければならないのであれば、どんなに忙しくてもあなたは瞑想をするものでしょう。あなたが真剣であれば時間は作り出せるのです。

周りの雑音、家事や他の用事で気が散ってしまいます。対処法を教えてください。

実践的な対処法を考えていきましょう。今の時代、洞窟に籠もって瞑想をするのは現実的ではないのですから。

これに関して面白い逸話を紹介しましょう。若い時、私はヒマラヤの麓にあるリシケーシに滞在していました。ある日、一人の男が私に話しかけてきました。「もうリシケーシには飽き飽きしたよ。」

私は言いました。「何故ですか？　私はリシケーシに着いたばかりですが。」

彼は私に言いました。「我慢の限界だ。あまりにもたくさんのアーシュラム、たくさんのサドゥー、たくさんの地元民、たくさんの巡礼者。うるさくて集中ができないよ。」

目の前に流れるガンジス川を眺めながら、私は言いました。「それではどうするつもりなのですか？　少なくともここはデリーよりはましだと思いますよ。」

彼は言いました。「確かにそうだが、どうも駄目だ。私は孤独を愛する男なのでね。」

私は言いました。「ここでなければ、どこに行くつもりなのです？」

彼は言いました。「ガンジス川の上流だよ。ラクシュマン・ジュラの近くに洞窟があると聞いている。そこに行って瞑想をするのさ。」

私は言いました。「わかりました。神様のご加護がありますように。私は近くに滞在していますから、何かあったら知らせてください。」このときは私もまだ探求中の身でした。師であるババジに出会う前の話です。

三日後、私がガンジス川の川岸に座っていると、洞窟に行ったはずの男が再び私の前に現れました。

私は彼に言いました。「やあ、どうしたのですか?」彼は言いました。「どうしたもないさ。例の洞窟で二日間ほど瞑想をしてきたんだ。とても良い場所だったけれど、蚊がたくさんいたね。」私は言いました。「それから何が起きたのですか?」彼は言いました。「ある日、私は深い瞑想状態にあった。少なくとも深い瞑想状態を経験しているように感じていたのだが、どうも気になって目を開けてみたら、目の前に地球外生命体のような何かが立っていたんだよ!」私は言いました。「すごいじゃないですか! 彼は何か教えてくれましたか?」男は言いました。「待て待て、最後まで説明しよう。私の前に現れた何かは、地球外生命体などではなくて、蚊の駆除にやってきた市の職員だったんだよ。」

この例は今の世の中に生きる人々の状況をよく表しています。洞窟に行って瞑想をしようなどとは考えないように。大抵の場合はうまくいかないでしょう。それよりも、自宅の一部屋を自分だけの空間にして、家の中に瞑想のための洞窟を作る方が賢明です。夏になればエアコンを使えますし、冬になれば毛布にくるまってもいい。自分だけの洞窟を家の中に持つことができるのです。蚊の駆除に来る人もいませんし、誰にも邪魔されることはありません。「一緒に来てください。アーシュラムの一員になりましょう」と勧誘に来るお坊さんもいません。誰からの干渉もありません。

　このような場所を見つけて、瞑想を始めましょう。自宅の中でも静かで邪魔の入らない場所を用意して、「これから十分間ほど瞑想をするから、話しかけないように。この間は瞑想に集中させてほしい」と家族にあらかじめ伝えておくのです。

特定の食べ物や過食は瞑想に良くないと聞きました。どのような食生活を送るべきですか？

はい、タマシックという種類の食べ物は、怠惰と無気力をもたらします。ベジタリアンでない食事、肉料理などが当てはまります。魚は肉ほど悪くはありません。しかし、例えば豚をたくさん食べれば、あなたは豚のように眠くなるものです。または、牛を食べれば牛のように眠くなって、あなたは「オーム」と唱える代わりに「モー」と声を立ててあくびをするようになるでしょう。冗談ですが、私の言おうとすることはわかりますね？　これらの食べ物はできるだけ避けるべきです。

あとは胃に負担のない食事をおすすめします。油ものや消化にエネルギーの必要な食べ物を避けるようにしてください。消化以外の活動のためのエネルギーがなくなってしまいます。たとえタンパク質が豊富だとしても、全体のエネルギー量が不足して、いつも眠たい状態になってしまいます。なので、できるだけ胃に負担の少ない食事をするようにしましょう。

香辛料に関してはノーコメントとします。ときには香辛料が眠気を晴らすのに役立つからです。また、サットヴィックは味付けの薄い食事を意味するのではありません。サットヴィックとは、過不足ない量の食事、あなたを怠惰にしない種類の食べ物です。

瞑想中の居眠りは肥満にも原因があると聞きました。何かおすすめな運動はありますか？

はい、医学的な基準で肥満の人は、瞑想中に眠くなりやすい傾向があります。自分の身長と年齢から適切な体重を調べてみてください。もし不適切に体重が重ければ、何かしらの手段で体重を落とさなければなりません。

具体的に何をすれば良いかは言いませんが、もっと運動をして、食事の量を減らすのが基本です。外でたくさん散歩をして、新鮮な空気を吸うのも良いでしょう。水をたくさん飲み、たくさん運動をします。ヨーガのアーサナも良いでしょう。ただ、アーサナはダイエットのためのものではありません。ヨーガのクラスで肥満気味の人がたくさんいるのを見たことがあるかもしれません。アーサナは体重減少にはあまり効果がないのです。

もちろん、アーサナも回数を増やせば、ダイエット効果があります。例えば、各ポーズを少なくとも五回繰り返します。普通であればポーズは一回しかやりませんが、特に、太陽礼拝は繰り返しやると良いでしょう。太陽礼拝を毎日五回やるのは体重を減らすのに効果的です。他にも散歩のような運動もするようにしましょう。

肥満気味であれば運動はとても大事ですが、元から痩せ型の人は特に気にしなくて大丈夫です。

――なまけてしまって自制心がありません。どうしたら良いですか？

良くも悪くも「自制」とは幅広い意味をもつ言葉です。不快にも、楽しめるものにもなり得るのが自制なのです。

自制を楽しむことができるのは、なぜ自制が自分の成功や何かの上達の助けになるのかを理解しているときです。こうすれば自制はただの押し付けにはなりません。押し付けになってしまうと自制は難しくなります。「コントロールされたくない。自制なんて必要ないから、ただ自由にやりたい」というように心が拒否反応を示すからです。しかし、自制の最終目的は、心を縛っている枠を取り外して自由にすることなのです。これが理解できれば、自制に関する問題もなくなるでしょう。

仕事や他の分野に関する自制であれば、何とか方法を見つけてください。私が助言できるのは瞑想や魂の成長のための実践に関してのみです。

あなたを抑えつけている全てのものから最終的に自由になるために、瞑想においての自制があるのです。あなたが自制しなければ、他の何かがあなたをコントロールすることになるでしょう。これが世の中で生きている限り避けられない法則です。

全神経を集中させて何かを理解しようとする行為も、自制の一つの形です。「問題がはっきりと理解できないから、もっと観察する必要がある」と考えて、例えば、そのために顕微鏡のような道具を用いるようになるかもしれません。このような態度も自制の表れであり、欠かせないものです。けれども、「毎日朝九時に顕微鏡を使って観察しなければ」という自制になってしまうと、続かないかもしれません。

もちろん、中には決まりを守れる人もいます。しかし、世の中にはこれだけたくさんの人がいて、それぞれが違う人間なので、瞑想に関して誰にでも当てはまる共通の決まりは作れません。「この決まりであれば誰でも大丈夫だ」という考えは瞑想には通用しないのです。個人個人どのような形が最適なのかを見極めなくてはなりません。一人に当てはまるものでも、他の人には当てはまらないものは多々あります。

このために瞑想や魂の成長のための実践は難しいのです。誰にでも当てはまる公式があれば良いかもしれませんが、そんな公式は存在しません。このような公式があるという考え方は疑わしいものだと私は思います。人はそれぞれ違っていて、全員に当てはまる公式などはありえないのです。

誰かが「この聖なる名前を唱え続ければ、あなたは自由になります」と言っていたら、私はとても怪しいものだと思います。そのようなことはありえないからです。世の中には特定の聖なる名前が馴染まない人もいるでしょう。それでも全ての人が唱えるべきでしょうか？　これは「自由になるための道はこれしかない」と言っているようなものです。間違った考えですね。私たちが生きているのは白黒がはっきりと分けられる世界ではないのです。世界にはグレーの部分がたくさんあり、この中でどうやって物事を対処していくかを私たちは知らなければならないのです。

瞑想に近い意識の状態を仕事中にも保つためには、どうすれば良いですか？

決して簡単なことではありませんが、試してみても良いでしょう。あなたが自分の仕事を本当に好きであるなら、全神経を集中させて仕事をすることで、瞑想に近い状態を維持できるものです。もし仕事が嫌いである場合は、これは難しいことです。

日中は気が散った状態で過ごしていても、一日の終わりに三十分間の瞑想をすれば大丈夫だという、間違った考えを人々は持っているようです。これでは瞑想もうまくいきません。日中に何をやるにしても意識を集中させることができれば、瞑想のために座ったときに心を静かにすることができます。しかし、これは好きな仕事をやっている場合に当てはまることです。

カルマ・ヨーガと呼ばれるものの本質は、自分のためではなく、他の人の幸福のための仕事に完全に意識を集中させることにあります。こうして意識は瞑想状態に入り、次第に浄化されていきます。一点に意識を集中させる癖が既に身に付くので、瞑想のために座るときにも心を静められます。

また、仕事の途中で何回かの短い休みをとり、目を閉じて瞑想の対象を想像するかジャパをして、しばらくしたら仕事を再開するようにします。静かに二分間ほど座って瞑想をするのも良いでしょう。仕事中でもこれくらいはできるはずです。周りの人に何をしているのかと聞かれたら、「瞑想をしているんだ」と答えましょう。恥ずかしがることはありません。おかしなやつだと思われるかもしれませんが、気にしなくて大丈夫です。

一点に意識を集中させる「エーカーグラター」の瞑想法があると聞きます。これは一人で座って一つのものを考えることですか？意識を一点に集中させて何かをするのも同じことになりますか？

意識を一点に集中させて何かをするのは、意識を一点に集中させた瞑想と同じことです。しかし、ほとんどの場合、瞑想状態で何かの行動や活動はできません。とても難しく、普通では不可能に近いことです。

ここで参考になる禅のお話を紹介しましょう。禅の始祖とされている達磨は、南インドのタンジャーヴールで生まれ、中国に仏教の教えをもたらしました。これが後に瞑想に重きが置かれている仏教の一派となりました。中国では「瞑想仏教」として広まりました。瞑想のサンスクリット語であるディヤーナが中国語ではチャーンとなり、日本に渡ったときに禅となったのです。

昔、中国の山間部の崖っぷちに一人の禅の師匠が住んでいました。ある日、彼に教えを請うために、三人の若者が訪ねてきました。あちこちを探し回った後に、ようやく彼らは禅の師匠を見つけたのです。禅僧の住む場所に辿り着いたのは昼食時で、彼はスープを飲んでいるところでした。禅の教えを学ぶために来たのだと彼らは言いました。ヨーガではモクシャと呼ばれる最も高い境地は、禅においては悟りと呼ばれています。三人の若者は悟りを得たいのだと禅僧に話しました。今はスープを飲んでいるんだと禅僧が言ったので、若者たちはしばらく黙っていました。それから彼らは再び悟りについて質問をしました。またしても禅僧は同じ答えを返しました。若者たちが三度目の質問をした後、禅僧は手伝いの坊主を呼んで、若者たちにもスプーンを用意させました。今、禅僧と三人の若者はスープの入ったお椀を片手に抱え、もう片方の手にスプーンを持っています。若者たちは馬鹿にされているような気分になりました。悟りを求めてやってきたのに、禅僧はスープを手渡しただけなのです。

もう一度だけ、彼らは悟りを得る方法を教えてほしいと禅僧に言いました。禅僧はスープを飲んでいるんだと答えるだけでした。若者たちは怒って、「私たちもあなたと同じようにスープを飲んでいるではないですか?」と言いました。禅僧は言いました。「問題はここにあるのだよ。私はただスープを飲んでいる。ただただ、スープを飲んでいる。これが禅だ。お前たちはスープを飲みながら、禅について考えている。これは禅ではない。」

何かをしながらも意識を一点に保つためには、自分の興味のある活動や仕事をする必要があります。これは強制できるものではありません。このように何かをしながらも一点に集中した意識を維持できれば、瞑想をしているのと同じことになります。これはディヤーナであり、一点集中した意識状態です。しかし、この状態を常に保つのは難しいかもしれません。

実際の例としていくつか考えてみましょう。アーティストがインスピレーションに駆られて絵を描いているとします。彼女の頭の中には他に何一つ思考がない状態です。これはディヤーナです。または、詩人が詩を創作しているときには、彼は完全に書くことに集中しています。これもディヤーナです。目の前に流れる川をただ眺めているときもまた、ディヤーナになります。これらは自然に起こる瞑想状態です。

しかし、気を散らすようなものに囲まれている職場で瞑想状態を維持したいのであれば、いくつか役に立つテクニックはあります。一つには、繰り返される活動や行動を常に意識することです。ここでは呼吸の動きを意識して追うようにします。心は何かしらの活動に常に向けられていなければなりません。穴の空いている真空の空間のようなもので、すぐに空気が穴から入ってきてしまうのです。同じように、私たちは何の思考もなしに座ることはできません。ですので、意識を外世界に向ける代わりに、呼吸に意識を集中させるようにします。息を吸って、息を吐く行為に、全ての意識を集中させます。このようにして、外世界からの思考に気を散らされることなく、一点に意識が集中した状態を保てるようになります。しばらくすると、完全にではありませんが、心は落ち着いた状態になっていきます。これが瞑想の始まりです。

――世の中で困難な状況に直面しているときでも、全ての存在との一体感を維持できるようになる瞑想法やクリヤ・ヨーガはありますか？

現代の狂った世の中に生きながらも、正気を保ち、心の均衡を得るためにクリヤ・ヨーガや瞑想は役に立つのか？　という質問ですね。

クリヤ・ヨーガやその他の瞑想法には、基本的に次の二つの効果があります。まず、状況の如何にかかわらず、心に完全な休息をもたらすこと。そして、私たちの中にあるエネルギーの源を覚醒させることです。今の世の中で正気を保ちながらも生きるには、とてもたくさんのエネルギーが必要とされます。それにもかかわらず、私たちは些細な、つまらない物事でエネルギーを浪費しています。クリヤ・ヨーガは内面のエネルギーの源を覚醒させるのに効果的だとされています。実践によってエネルギーの源が目覚めたとき、私たちは膨大な量のエネルギーを手に入れられるのです。それは、調和を乱すようなものではなく、穏やかな性質のエネルギーです。

クリヤの実践によってエネルギーが覚醒されると、この不確実な時代に生きながらも、心の均衡を保てるようになります。なぜなら、膨大な量のエネルギーが私たちの中を巡るようになることで、何が起きても心が動じなくなるからです。このように生きることができれば周りの人にも良い影響を与えられるでしょう。質問の内容とは少し違った角度から説明をしましたが、本質としては同じことです。

私たちの中にはプラーナという生命エネルギーが一〇八の経路を通って流れています。一〇八とはおおよその数字です。私たちの思考や身体の動きに対応して、プラーナは決められた経路を流れるようになっています。日常生活では何百もの異なる活動をするので、プラーナはたくさんの経路を巡り回って、私たちの生命を維持しています。

クリヤの役割は、無数の経路に拡散しているエネルギーを、ある一つの場所に集めて操作できるようにすることです。これは物理的な場所ではありません。良い意味で、膨大な爆発力を持ったエネルギーがあなたの中に用意されるのです。エネルギーが集約されると、意識はより微細な領域に移行できるようになります。そうして、最終的に私たちは存在の本質に到達するのです。真の本質に辿り着いた後には、世の中の一員として生きることにもはや抵抗はなくなります。

――自分自身を知るために瞑想は重要だとあなたは言われます。瞑想をしていなくても自分自身の弱みや強みなどを熟知している場合にも、瞑想は必要ですか？

あなたが自分自身をよく知っているとすれば、それは既にあなたが内面に向き合ったことがあるからです。そうでなければ、自分の欠点に気が付くことはできません。

目を閉じて座るだけが瞑想ではありません。座ることも瞑想になり得ますが、ただの一つの形にしか過ぎません。瞑想という言葉はいくつかの意味を持つ言葉であり、大きく三つの過程を含んでいます。瞑想に関する経典である『ヨーガ・スートラ』は、ダーラナ、ディヤーナ、サマーディというように瞑想を分けています。

ダーラナは目を開けたまま、もしくは目を閉じて行われます。一つの思考の流れに意識を集中させる能力や実践がダーラナです。ダーラナが維持できるようになると、ダーラナの持続的な状態であるディヤーナとなります。ディヤーナをある時間保てるようになると、瞑想の対象の本質が理解されるサマーディに到達します。

何かの瞑想法や実践をしていないからといって、瞑想から得られる経験や知識がないというわけではありません。何時間も目を閉じて座った姿勢で瞑想をしながらも、一つの思考の流れに意識を集中できない人たちもいるのです。これは瞑想ではなく、ただ座っているだけです。もちろん、座っているだけでも身体と心を落ち着ける効果はあります。しかし、これでは意識の深みを経験することはできません。

自分の心を観察して、思考の過程を辿っていくのも一つの瞑想の形です。観察を通して、自分の思考、行動や、限定された見方をより意識することになるからです。ありのままの自分の姿が明らかになることで、魂の成長のためにどこから取り組めば良いかを、私たちは知るのです。

このことに関して付け加えたい点があります。あなたが内面を探求して、自分自身を知りたいと思うのであれば、世の中に生きながら取り組む以外の方法はありません。これは洞窟の中に一人で座っていても不可能なことなのです。もちろん、時には静かな場所でしばらく座るのも良いでしょう。しかし、洞窟などが必要なわけではありません。自分の部屋のドアを閉めて、家族にしばらく邪魔しないでほしいとだけ言えば、自宅もあなたのための洞窟になるのです。心がどのような境地にあるか、どれだけ成長したか、どのような性質があるのか、状況にどのように反応するのか。外の世界との社会的な関わりを通してのみ、心の働きを知ることができます。これ以外の方法はないのです。

世の中で生きて仕事をしながらも、自分の思考や行動を常に観察することが大切です。繰り返しますが、これはとても重要なことです。

8

瞑想の助けとなる実践

瞑想をするためにはクリヤ・ヨーガを学ぶ必要がありますか？

いいえ、瞑想のためにクリヤ・ヨーガは必要不可欠ではありません。全ての瞑想法がクリヤ・ヨーガをベースにしているわけではないのです。ただ木を眺めるのも、散歩をするのも、海辺に座るのも、深呼吸をしながら山を眺めるのも、全て瞑想になり得ます。ある種の特殊な修練法という意味のクリヤは、誰もが必要なものではありません。

実際、クリヤを知らなくても瞑想をしている人はたくさんいます。ここでのクリヤはテクニックという意味です。ただ、クリヤは瞑想の助けになるものであり、クリヤを学ぶことが瞑想の進歩に繋がることはあります。しかし、瞑想をするためにクリヤが必要不可欠なのではありません。また、日々のクリヤの修練でも、終わりは何もせずに瞑想をする時間を設ける必要があります。クリヤと言っても何かしらの行為であるのは変わらないからです。最終的な目的地は全ての行為から自由になった心の状態です。ある種の行為を通して、全ての行為から自由になった心の状態に瞑想者を導くために、クリヤの実践があるのです。

クリヤ・ヨーガとは棘抜きのための針のようなものですか？

はい、クリヤは棘を抜くために使われる針に似ています。しかし、全ての行為から自由になった状態が最終目的地でありながらも、クリヤという行為自体に依存してしまうような場合もあります。これは他の依存状態と同じようなものです。害のない依存ではありますが、ウパニシャッド経典の「全てを手放して喜びなさい」という金言の意味が、最終的には生きた現実として理解されなければなりません。この金言の意味を怠惰だと解釈しないように。「どうも面倒くさくてクリヤをやる気にならない。全てを手放して喜ぼう！」というのは間違った考え方です。私の言っているのはそういうことではありません。

呼吸の観察は瞑想に効果的だとされます。呼吸はどう身体と心に繋がっているのですか？

生命の維持に必要な基本的な要素の中で、呼吸は最も大切なものです。食べ物や水なしでも一定期間は生きることができますが、数分間でも呼吸が止まれば、私たちは生きられなくなってしまうでしょう。呼吸はとても大切なものなのです。

しかし、私たちが呼吸を気にすることは稀です。意識しなくとも、生まれてから死ぬまで呼吸は自然に行われるからです。生命にとって最も重要な要素である呼吸に、私たちは十分な敬意と関心を抱いていないのです。人が生きているのは呼吸のおかげで、呼吸が止まれば死んでしまいます。インドのグジャラート州では、誰かが亡くなったときに「オフ、ホーギャー」と言います。「呼吸が逝ってしまった」という意味です。ケーララ州でも「空気が抜けてしまった」という意味の言葉を使います。パンクしたタイヤのように、呼吸が止まれば人の生命は終わってしまいます。呼吸はこれほど大事なものなのに、私たちは自分自身の呼吸に無意識なのです。

あなたの魂、内面の意識、外側の身体を繋ぐのが呼吸の役割です。呼吸の意識が洗練されれば、呼吸を制御しているものに通じることができます。通常の意識下で制御されているのではなく、副交感神経系の働きと対応する、別の何かによって呼吸は成り立っているのです。呼吸を観察し続けていると、身体の下へ上へ呼吸を動かしている何かが意識されます。呼吸の観察を通して、あなたは自分自身のさらに奥深い部分に進んでいるのです。これが呼吸と身体の重要な繋がりです。

また、ほとんどの人は表面的な浅い呼吸をしており、正しい呼吸の仕方を知りません。精神的または身体的な病気の多くは、浅い呼吸が原因にあるのです。私たちは深く、十分な呼吸の仕方を知らないのです。どういうわけか、息を吸い込んだときにお腹を引っ込めて、胸を広げるような呼吸が当たり前になってしまっています。

深く呼吸をするためには、肺の下部を押し下げて呼吸をしなくてはなりません。お腹が膨らんで見えてしまうのでは？　という心配はいりません。逆に、この呼吸の仕方は腹筋を鍛える効果があるのです。息をしっかりと吐ききった呼吸をするのはとても大切です。酸素が足りなくては脳も十分に機能しなくなってしまいますから。

ヤマとニヤマに沿って日常生活を送ることは瞑想の進歩に繋がりますか？

はい、ヤマとニヤマに沿った日常生活は瞑想の進歩にも繋がります。ただ、より重要なのは、まずヤマとニヤマが何であるかを理解することです。

ヤマとニヤマに共通する黄金律は「中庸」です。人生に中庸が欠けていれば、瞑想をすることもできません。食事、飲酒、娯楽、散歩、運動、全ての活動を適当な量に保つ必要があります。日常生活の各側面で中庸を守ることができれば、ヤマとニヤマの基本に従っていることになります。あとは、常に嘘偽りのない言動を意識することも大事です。

サッテャは真実という意味のサンスクリット語です。サッテャは誰にとっても有益なものでなければなりません。何かが事実であっても、誰かに不利益をもたらすものであるならば、極論を言えばサッテャではありません。また、サッテャには公明という意味もあります。一つのことを言いながらも、頭の中では別のことを考えているというのは、人間にありがちなことです。しかし、このように日々を生きていたら、どのようにして真理を見つけられるでしょう？　二十四時間ほぼ嘘まみれの生き方では、真理の発見などはできません。そして、サッテャには他の人の持つ富や所有物に対して欲を抱かないという意味もあります。自分の持っているものに満足せず、他の何かを求め続けるならば、貪欲な状態になってしまいます。

古代の賢者たちは、真理に沿った生き方とは公明であることだと言いました。あなたが公明な生き方をしていないのであれば、どのように他の人たちに真理を伝えられるでしょう？　真理に沿って生きるとは、全ての人に最大限の利益をもたらすような真実を知って、伝えていくことです。これらの実践なしに、瞑想のための落ち着いた心を得ることはできません。このためにヤマとニヤマが存在しています。パタンジャリのアシュターンガ・ヨーガで、ヤマとニヤマの後に続くプラーナーヤーマは、生命エネルギーであるプラーナを扱うものです。シュワーサと呼ばれる、呼吸と密接に関わっている機能の一部にプラーナがあります。プラーナーヤーマでは、呼吸のリズムとパターンを統制して、均衡のとれた心の状態を得るのが目的です。この状態は、全く乱れのない元来の心の状態に戻ることだとも言われます。

このことに関連したお話をしましょう。ここで私の議論してきたこと、そもそも私の話すことや考えることなどの行為の全ては、私の脳の活動によるものです。そして、私が話すことや考えることの内容は、生まれてきてから今までの様々な経験に基づくものです。もしくは生まれる前の経験も含んでいるかもしれませんが、ここでは生前の経験は考えずに、生まれてから今までの心の軌跡を辿っていきます。蓄積してきた情報や知識、読んできた数々の本、経験してきた愛や憎しみ、素晴らしい感情、失恋、その他様々な豊かな感情。全てが脳に蓄積されており、この集合体を私たちは心と呼びます。これ以外に心は存在しません。

ここで「自由になった心」というものを考えてみましょう。過去の傷、後悔や怒り、いわゆる知識の詰め込みによる奢り。これらは全て過去のもので、ただ記憶として脳に保存されています。過去の記憶の集積から独立して存在している心はありえるのでしょうか？　それは厳密には脳ではなく、意識の根源と呼ばれるべきものでしょう。

この根源的な状態においては不自由や自由、解脱といった全ての概念自体がなくなります。「自分は感情や欲望にとらわれている状態で、自由になるためには、これもあれも実践しなければならない」という思考も全て、脳にあるものだからです。良いものも悪いものも含めて、過去の記憶や概念の重さから解放された脳を想像してみましょう。そこには完全な沈黙があり、脳は真に純粋な意識へと戻るのです。この状態に到達するまではヤマとニヤマの実践が必要です。

もちろん私が間違っている可能性もありますので、批判や質問があれば受け付けます。ただ感じたままを話しているだけで、神託を下しているわけではありません。一般の人たちが正常であり、私の頭がおかしくて、それを他の人にもうつそうとしているだけなのかもしれません。英語では頭のおかしい人を「ナッツ」と言います。ナッツは私の好物なのです。ちなみにこれは冗談ですよ。

――アーシュラムやリトリートなど、グループでの方が瞑想はしやすいのでしょうか？

リトリートやアーシュラムで瞑想をしやすいと感じる理由は、周りの人々のやっていることに影響を受ける心の性質によるものです。例えば、ナイトクラブに行って人々が踊っているのを見たら、あなたも踊り始めるでしょう？　リトリートやお寺のように人々が集まる場所でも同じ法則が当てはまります。もちろん異なる形ではありますが。どちらが良いか悪いかという価値判断は人それぞれながらも、基本的な法則は同じです。

ナイトクラブの例を考えてみましょう。あなたは扉を開けて中に入ります。「踊る気分じゃないから座ることにしよう」とあなたは決めました。けれど、ノリの良い音楽とワインの酔いで、あなたはすぐに踊り始めることになるでしょう。キールタンやバジャンを歌ったり踊ったりするようなリトリートや集会の場合も、ナイトクラブの例と同じことです。どちらが良いとか悪いとかではありません。ただ異なる形であるだけです。

講話を毎回楽しみにしています。聞くたびに幸せになり、瞑想をもっと頑張ろうと思います。講話を聞くことは瞑想の実践にとって良いものですか?

こうして私が座って瞑想について話しているとき、みなさんの心は落ち着いて、静かな状態にあります。しっかりと講話の内容を聴いて、内容を理解するのもまた瞑想なのです。人々が一つの場所に集まって、共に魂の成長に関する話をすること。これはサットサンガと呼ばれています。リグ・ヴェーダにサットサンガについて記された部分があります。「サンヴォー、マナームシ、ニャーナタームへ(心を一つにして、真理を理解できますように。)」これも瞑想の一つの形です。

サットサンガはとても重要な瞑想です。私たちが一人で座っているとき、様々な考えが浮かんできて瞑想ができない場合があります。思考はただ頭の中にのみある空想ではなく、本当に実体のあるものなのです！　このようにして、他の誰かや、世の中の様々な出来事について考えてしまい、瞑想ができなくなってしまうのです。しかし、十人の人が集まって共に瞑想をしたり、同じ話題について話し合うとき、瞑想はしやすくなります。なぜなら、あちらこちらに散らばったりせずに、全員の思考が一つになっているからです。これが瞑想の手助けともなり得る、サットサンガの意味です。

自然の中にいると心が落ち着きます。自然の中で時間を過ごすのは良いことですか？

静かで気の散らない場所では瞑想はしやすくなります。例えば、森の中はとても静かで、普段と違う環境なので瞑想にも良いでしょう。もちろん、野生動物に襲われる心配がなければの話ですが。こうして瞑想の邪魔となる思考から解放され、しばらくは落ち着いた心で瞑想を楽しむことができます。もちろん、静かな森の中で瞑想をしているときも、鳥の鳴き声などの騒音はありますが、むしろ心地良く感じられるものでしょう。

過去に聖者や覚者がいた場所で瞑想をするのが好きです。このような場所でもっと時間を過ごすべきでしょうか？

過去に人々が瞑想したとされる場所で気分が良くなるのはなぜでしょう？　なぜなら、その場所で有名な人々が瞑想したのだと、かつて誰かがあなたに話したからです。このことを知らなかったとしたら、通りすがりの羊飼いがそこに座ったとしても、瞑想をしたりはしないでしょう。これはあなたの心の条件付けによります。例えば、深い瞑想状態にある人物の前に座ると、自然に瞑想状態に入るということがあります。境地の高い人物のエネルギーが目の前に座っている人にも伝わるからです。個人的には、瞑想をする場所は重要ではないと私は思います。雑踏の中にいても、孤独の中でも、真のヨーギーであれば同じように瞑想ができるからです。

一つ例を紹介しましょう。たくさんの人々が聖者のラマナ・マハーリシのアーシュラムで瞑想をします。なぜなら、ラマナ・マハーリシは覚者であって、アーシュラムで何年も瞑想をしたという事実が人々の頭の中に刻印されているからです。人々がただ頭の中でそう思っているだけではなくて、誰もがそのように言うからです。このために、アーシュラムでしばらく瞑想をしながら幸福感に包まれて「私は誰か？　ラマナ・マハーリシと同じような偉大な覚者なのだ」というふうに考えるものです。しかし、これは全てただの思考でしかありません。アルナーチャラの丘の周りを歩いて、人々は「なんて素晴らしい感覚だろうか。ラマナ・マハーリシも歩いた場所だ」と感じるのです。もし誰もこの事実を知らなかったとしたらどうでしょうか？　この場所の周りに何十年も住んでいる動物や農家の人々は、何も感じていないかもしれません。これは頭の中に蓄積された情報と、これを反映した行動の問題なのです。

真のヨーギーであれば、事前の刷り込みなどなしに、場所や人のエネルギーを感じることができるものです。そして、自宅のキッチンであろうと食肉加工工場の前であろうと、場所に影響されることなく瞑想ができるのです。これが真のヨーギーの証です。しかし、ほとんどの人は集団心理や信条の影響下にあります。真のヨーギーは何かを信じる必要がありません。真相を知らないことから信条は生まれるのです。

例えば、この目で太陽を毎日見ていたら、太陽の存在を信じる必要はないでしょう。信じるまでもなく、太陽があるのを知っているからです。何かを知らない場合のみ、信じる必要が生じるのです。太陽はそこにあります。事実を知っていれば、何かの信条に頼らなくても良いのです。何かに関する確証がないときに、例えば、「ウパニシャッド聖典によれば、これは真実だということになっている」と言うことになるのです。しかし、確かに事実を知っていれば、他の人が何を言っていようが問題ではなくなります。たとえウパニシャッド聖典が逆のことを言っていようと、自分の確証は変わらないのです。もちろん、これはただのたとえであるので、ウパニシャッド聖典に何か間違いがあるわけではありません。ウパニシャッド聖典は過去の聖者たちの経験をまとめた経典です。

自分自身をよく観察して、集団ヒステリーの罠に陥らないよう注意しましょう。集団心理は厄介な問題です。集団の心が一斉に盛り上がった後、往々にして後には以前よりも停滞した状態の心が続くものなのです。この浮き沈みを楽しめるならば良いかもしれませんが、注意するに越したことはありません。人の心が盛り上がるときは良いものですが、後には盛り上がった分よりも深く、低い場所に向かっていきます。なんにせよ注意深く観察することです。

『バガヴァッド・ギーター』の「サルワトラ・サマ・ブッダヤハ」という言葉を覚えておきましょう。「良い状況でも、悪い状況でも、どんな状況でも、心が静かな状態にある。このような人物はヨーギーである。」

美しい賛美歌を聞いていると至福、愛、平安で心が満たされます。音楽は瞑想に良いものですか？　また、音楽を聴く行為そのものは瞑想になりますか？

音楽は非常に重要な瞑想の一種で、瞑想の補助的な役割も果たします。ただ、繰り返しますが、音楽には様々な種類のものがあります。瞑想に効果のない音楽、むしろ瞑想には悪影響になる音楽もたくさんあるのです。しかし、バジャンやキールタン、クラシック音楽やフォークソングなどの中にも、瞑想に効果的な音楽もあります。

昔、リシケーシでとても美しい音楽を聴きました。ガンジス川の岸辺に私は座っていて、ボートが人々を向こう岸に渡しているのを眺めていました。日が落ちた後、普段はボートが運行することはありません。満月の夜で、船頭は船を漕ぎながら、地元のガルワーリの言葉で歌っていました。私には歌の意味はわかりませんでした。単純な歌のようでしたが、私に理解できたのは「カニャイヤー、カニャイヤー」という部分だけでした。この歌はとても美しいものでした。きっと彼は音楽の訓練を受けたわけではなく、自然な表現として歌が彼の中から流れ出てきていたのでしょう。もちろん、音楽は高度な専門分野でもあり、古代インドの経典でも一分野まることが音楽理論に関するものだったりします。

あなたの内面の成長に繋がるものであれば、それは良い音楽です。しかし、音楽を聴く意図が他のところにあるために、ときに音楽が内面の成長の妨げになることがありますが、一般的には、音楽は内面の成長に良いものだと言えるでしょう。

沈黙を守ることは内面に向かう手助けになりますか？また、心の静寂とは何ですか？

沈黙を守ることには様々な利点があります。

まず、私たちが求めているものは言葉で表すことのできないものなので、沈黙は言葉を使うよりも優れた表現方法になります。次に、沈黙を守ることは、エネルギーの節約に繋がります。私たちは日々、たくさんのエネルギーを会話のために使っているからです。会話をしないことで、この分のエネルギーを保存できます。最後に、私たちは一般的に必要のないことを口にしてしまいがちです。何も言わない方がいい場合は多々あります。これらが習慣的に沈黙を守ることで得られるものです。毎日一時間だけでも何も言葉を口にしない沈黙の時間を作ることは、とても良い実践になることでしょう。

それでは、心の静寂とは何なのでしょう？

これは一つの境地であり、意識して作り出せる状態ではありません。自分の真の本質を知ったときにのみ訪れる状態です。他に表現方法がないために、沈黙の中で得られた境地をただ楽しむのです。この沈黙の状態には、葛藤を生むような混沌とした思考はもはやありません。全てが静かで、落ち着いた状態です。

沈黙を守ることは内面の沈黙に繋がるでしょうか？　内面に向かうために必要なエネルギーを保存できるという点において、そうだと言えるでしょう。しかし、ただ沈黙を守るだけで思考の数を減らせるかというと、必ずしも正しくはありません。外側が静かになっても内面の対話が絶え間なく続いていることは多々あるからです。一時間の沈黙の時間を作ったとしても、心が自然に沈黙の状態になるわけではないのです。

本当に静寂を得た心というのは珍しいものです。

瞑想の実践と心の浄化は共に行わなければならないと聞きました。どのようにすれば心の浄化ができるのでしょうか？

これは最も難しいことです。言うは易く行うは難し、ですが、浄化のために効果的な実践はいくつかあります。

過去の偉大な師たちは、魂の成長のために心を浄化するにあたり、二つの糸が撚り合わさって共に一つの方向に向かわなければならないと言いました。一方は世の中でのあり方、他方は内面のあり方です。この二つが共に進歩していく必要があります。

例えば、こういう人がいるとします。「自分の好きなように生きよう。夜七時にはお風呂に入って、後で好きなテレビ番組を見るのは欠かせない。隣近所に病人がいたって気にしない。」このようなあり方で毎日二時間ほど瞑想をすれば心の浄化ができるかといえば、全く不可能なことでしょう。

魂の成長のためには二つの糸があります。まず、パタンジャリを含めた偉大な師たちが、ヤマやニヤマといった言動に関する戒律を守る重要さを説きました。そして、師の言葉は意図的に守られなければならないものです。心が自ずから浄化されるのを期待してはいけません。他の人々に迷惑や害を与えないような生き方を、意識して選ぶ必要があります。もちろん、できることならば、善い行いを積んでいきましょう。

このための鍵は自制にあります。例えば、考えてから物を言うようにしましょう。「何を言いたいのだろう？　誰に向かって言おうとしているのだろう？　今が相応しい状況だろうか？」または、美味しい食べ物を楽しみながらも、「この食事は半分を友人に分けようかな？」というふうに自制をすることです。日々の行動は全て自制の上で行われなければなりません。このような自制が習慣になれば、次第に心は浄化されていきます。

しかし、浄化とは言いますが、心が元来汚いものなので浄化しようとしているわけではないのです。心が葛藤して、意識が散乱した状態にあるだけなのです。落ち着きがなく、ジェットコースターに乗っているようなものです。日々の生活で私たちの心がどのような状態にあるかは、自分自身がよくわかっていることかと思います。ですので、自己中心的な考えから離れて、自制を習慣化して、感覚器官の統制ができれば、心は自然に浄化されていきます。

意識的に心の成長を促すために、毎日決められた時間に座って、自分の心を観察するのも良いでしょう。これもまた重要なことです。社会での実践と内面の観察は共に行われなければなりません。また、どんな仕事をするにしても、一点に意識を集中させて行うことです。日中に焦点の欠けている意識が、一日の終わりの瞑想のために十五分座っただけで集中できるはずがありません。心は習慣に従って動くものです。今の心の習性は自分自身の習慣の産物です。この習性をすぐに変えることはできませんよね？

ヨーギーとは、車を運転するときは運転に集中して、瞑想をするときは瞑想に集中する人物のことです。車の運転をしながら瞑想することはできません。他の車や歩行者、自分自身にも危険です。それぞれの活動に全ての意識を集中させることは一種の瞑想にもなるのです。日々の活動と瞑想を分けて考える必要はありません。

社会での実践に関して、それぞれの宗教がそれぞれの決まりを設けています。一昔前に、インドのグジャラート州にナルシン・メータという偉大な聖者がいました。彼はヴィシュヌ神を讃える美しい賛美歌をいくつも書き残しました。彼の歌った賛美歌に次のようなものがあります。

「他人の抱えている問題を自分のことのように感じて、何でもないかのような謙虚な態度で、助けの手を差し伸べるのがヴィシュヌ神の信者だ。」

これも心の浄化のための一つの方法です。

聖火の前に座る瞑想法があると聞きました。この瞑想法について教えてください。

ナータの伝統に属するヨーギーたちの間では、ドゥーニーと呼ばれる聖火の前に座ってする瞑想法が実践されています。私も師匠のババジと共にドゥーニーの瞑想をしました。ただ念じるだけで、ババジは火を高く燃え上がらせたり、低くしたりできるのでした。

ドゥーニーの火を挟んで、私はババジに向き合って座ったものでした。特に夜には、火を見ながら瞑想をするのはとても美しい体験でした。最初はしばらく目を開けて火を見続け、それから目を閉じて火を思い描くのだと、ババジは私に教えてくれました。この瞑想は私の経験した中で最も美しい体験の一つです。過去から引きずってきたものが、火が欲望を燃やし尽くすかのように、瞑想の中で消えていきました。

これは火の要素にのみできることです。火は全てのものを燃やし尽くします。そして、全ての終わりは火にあるのだと、瞑想をしながら私たちは思い出すのです。もちろん、電動の火葬場でも亡骸を燃やせるわけですが、どちらの場合でも、全ては最終的に灰になっていきます。ドゥーニーの火を見ていると、いかに炎が美しく、また、暖かくて有り難いものかを感じることができます。そしてまた、薪が燃え尽きて灰となっていくのを見ていれば、同じ薪を使い続けることはできないということを知ることができます。火は時間の象徴です。私たちの誰もが流れ続ける時間の中で生きています。

ババジは私に言ったものでした。私が食べ物を食べているように、今この瞬間も時間が私の生命を貪っているのを忘れないように、と。時間の流れは誰にも止められません。数年前のあなたと今のあなたは同じではなく、ある日、昔はなかった皺が鏡の前に立つ自分の顔に表れているのに気が付くことでしょう。時間は止まらないのです。時間は流れ続け、私たち自身を含め、全ては燃え尽きて灰になります。シヴァ神が灰を全身に塗った姿で描かれるのはこのためです。彼は火葬場の灰を身体に塗っているのだとされています。

同じように、ナータ派のヨーギーはドゥーニーから灰を取って自身の身体の一部に塗ります。また、いつも裸であるナーガ・ババたちは、全身をシヴァ神のように灰で覆っています。灰を全身に塗るのは優れた防寒の効果もありますが、私たちが最終的には灰となる運命なのだと、自分自身に言い聞かせる意味もあるのだと思います。「世の中のものは何もいらない。ただ少しの食べ物をもらえれば十分だ」という意思を人々に表わしているのでもあります。

火は魂の偉大な象徴でもあります。実際、火は点火された時に生命が宿るものだと私は感じます。ただの無機物ではなく、人間と何かしらの形で関わっている、自立した生命が火にはあるのです。ドゥーニーの前に長いこと座って瞑想をするとき、外側の炎に意識を集中させることで、私たちは内側の炎を燃やすことができます。

火は常に上に向かって燃えます。下に向かうことはありません。火をつけた何かを下向きに持っても、火は上に向かって燃えるものです。このことも魂の象徴としての火の側面を表しています。

ドゥーニーの瞑想は、人間の内面のクンダリニーの火を象徴するものでもあります。火に向き合って深い瞑想状態に入ることで、高い次元に意識を導いていけるのです。また、火は欲望の象徴でもあります。「恋い焦がれる」という表現があるように、欲望は炎のように燃えるものです。怒りの感情もまた火のようであります。実に、全ての激しい感情は火の性質を持っています。例えば、昔の恋人について話すときも、恋い焦がれていた人というでしょう。このような場合に水を用いた表現は使わないはずです。そして、最も高い自由の境地、ニルヴァーナを得ようとする熱意の炎が、ドゥーニーが究極的に象徴するものです。

火は一か所に留まっていれば安全ですが、ときには非常に危険なものにもなります。一つの火は全世界を燃やし尽くすこともできるのです。一つのロウソクや燈火が森をまるごと燃やしてしまうことも現実的にあり得ることです。

魂の成長を目指す人たちにとって最も重要なことは、内面の火を灯して、完全な状態に到達しようとする意志以外の、全ての欲望を燃やし尽くすことです。これが火の本質的な意味です。意志が火のように力強いものでなければ、目標に到達することはできません。燃え上がるような熱意がなければ、到達は不可能なことなのです。「人生はうまくいっているし満足ではあるものの、世の中の楽しみも苦しみも十分以上に味わってしまった。次の段階に向けて進まなければ。」このような思いが生まれたときが、魂の成長のために実践を積み始めるべき時期です。根底にこのような意志がなければ、どのような実践をしてもうまくはいかないでしょう。

聖者ラマナ・マハーリシの教えた、本当の「私」を知るための瞑想法とは何ですか？

まずはじめに、ラマナ・マハーリシの方法は必ずしも全員に当てはまるものではないと言っておきます。ラマナ・マハーリシの場合は、瞑想の実践をしていたわけでもないのに、若くしてある特殊な体験が彼を訪れたのです。彼は今生において何の実践も積んでいたわけではありませんでした。きっと何回にもわたる過去生で瞑想修行を積んできたのだろうと思います。何であれ、理由は重要ではありません。この特殊な体験を通して、自分の存在が物理的な身体からは独立してあるものだと彼は知ったのです。この事実は彼を驚かせました。「私が身体ではないとしたら、私とは何なのだろう？」これが彼の探求の始まりです。

私たちは彼のような特殊な体験をしたわけではないので、彼の問答が始まる以前の地点から考えなければなりません。「自分とは身体から独立した存在なのだと知った、特殊な体験をラマナ・マハーリシは得た。私はこのような体験をしたわけではないけれども、彼は本物だろうし、偉大なヨーギーなので、彼の体験を信じることにしよう。この体験をしてから、身体でなければ自分は何者なのだろう？　と問答をして、彼は悟りを開いたのだ。」

ラマナ・マハーリシの悟りは、言ってみれば次のようなものです。「私という存在は、私を覆う服ではない。服を脱いで壁にかけてみれば、私と服は別々のものとなる。しかし、服を着ている間は、あたかも服が私の一部かのように感じられる。では、私とは何者なのだろうか?」これが彼の問答した内容です。全神経を集中させた問答を通して、彼は真の実在に辿り着いたのでした。

しかし、常に気を散らすようなたくさんのものに囲まれた世の中に生きる私たちが、ラマナ・マハーリシの真似をするのは難しいことです。ラマナ・マハーリシも、彼の問答を中心とした瞑想ができないようであれば、少なくとも呼吸を観察するようにと教えました。彼が「少なくとも」と言ったことに注目しましょう。呼吸を観察することで、少しずつ意識は内面へと向かい、「私は誰か?」という問いの答えが明かされるようになるのです。この心が私の全てなのか?それとも背後に何かがあるのか? ラマナ・マハーリシはこの答えを見つけたのです。

ラマナ・マハーリシが彼の求めていたものを見つけたのは疑いようがありません。彼は真の実在を内面に見つけたとき、同じ実在は外側にもあるのだと知りました。ラマナ・マハーリシが目を閉じている写真があまりないのは、内と外の違いは彼にとって存在していなかったからです。しかし、答えを求めるためには、まず内面に向かう必要がありました。若い頃は目を閉じていたかもしれません。しかし、後に全ては一つだということを彼が知って以来、目を開けた写真がほとんどであるはずです。

9 瞑想における師と恩寵の役割

瞑想をするのに師や恩寵は必要ですか？

イエスであり、ノーでもあります。正しい実践の方法を学ぶために教師が必要なことはあります。しかし、瞑想をするために恩寵が必要というわけではありません。実際、恩寵は求めれば得られるようなものではありません。恩寵は時が熟したときに自然に与えられるものです。また、恩寵は言葉で定義できるようなものではありません。全く自発的なものなので、恩寵を得ようと努力をすることはできないのです。

ひどい悪人に恩寵が与えられる場合もあれば、聖者のような生き方をしていても恩寵が与えられない場合もあります。

恩寵という言葉は勘違いを生みやすいものです。恩寵はいつも私たちと共にあります。しかし、心が開かれていないと、恩寵があっても感じることができないのです。瞑想やその他の実践の進歩に必要なのは、恩寵よりは、むしろ絶え間ない努力です。

教師が必要な場合もあると言いましたが、教師はあなたの現状を適切に判断して、必要な導きを与えられる人物でなければなりません。

パタンジャリのヨーガ・スートラには、超越的な存在であるイーシュワラから与えられる恩寵についての説明があります。イーシュワラとは、ただの超常的な存在ではなく、全ての始まりであって完全に自由な存在のことです。どのような条件付けからも自由で、また、全ての個体の本質です。完全な自由の状態に到達したとき、私たち自身がイーシュワラとなります。わかりますでしょうか？　イーシュワラと恩寵は外にあるのではなく、常に私たちの内にあるのです。

恩寵は常に共にあり、開かれた心は恩寵を受け入れられるとは、どういうことですか？

開かれた心とはどういうものでしょう？

脳に蓄積された、不必要な全てのものから解放された状態です。このように心が開かれたとき、どこかに探すまでもなく、恩寵がそこにあるのがわかるのです。

恩寵を受けるために何かを信じたり、探したりする必要はないのですか？

体系化された信仰と恩寵は別物です。何かの信仰を持つのはかまいませんが、自分が体系化された信仰に従っているのを常に意識しておくべきです。今はある信仰の体系に従うことで満足しているかもしれませんが、信仰や期待や欲を含む全ての過去の記憶から自由になって、はじめて私たちは心の本質を知るのです。この境地に達した心は恩寵を受ける必要がありません。なぜなら、この心自体が恩寵そのものになるからです。

この体験を得た幸運な人々は、心の本質を喩えて、中心のない円のようだと言います。この円はどこまでも円周が続いており、行っても行っても、真ん中に辿り着かないのです。「広大な」という表現では全く物足りないくらいの大きさです。この円の体験では全てのものが空になります。この状態に到達した人が世の中に生きていたら、とても変な人だと思われるでしょう。

魂の成長のために必要なのは時間ですか？　努力ですか？　それとも恩寵ですか？

三つの全てが必要です。努力と時間、恩寵のどれもが重要です。

なぜかを説明しましょう。まず、いくばくかの恩寵がなければ、そもそも魂の成長のために努力をすること自体が不可能です。もし誰かが既に実践を積んでいるとしたら、これは疑う余地なく恩寵のおかげなのです。恩寵は既にそこにあります。恩寵がなければ、魂の成長を求める方向へ向かうことすらできません。

恩寵の次には努力があります。努力には様々な要素が絡んできます。「努力をしようとしているのは誰なのだろうか？」「努力を積むために必要な環境は整っているだろうか？」「どのような背景から努力を始めたのか？」「過去にどれだけの努力が積まれているのか？」これらの問いに対する答えの内容によって、目標の達成にどれくらいの時間がかかるかが決まります。

例えば、既にある人物の中の種が熟しており、すぐに芽を出す準備ができていれば、目標を達成するのに時間はかからないことでしょう。そうでなければ少し時間がかかります。どちらの場合でも、恩寵ははじめからそこにあるのです。

恩寵は、穏やかで香り高い、そよ風に似ています。扉と窓を開けて、風が吹いたときに抵抗なく中に入ってこれるようにするために、全ての努力と実践があります。恩寵は常にそこにあるものの、いつ風が吹くのかは私たちには決められません。しかし、私たちの扉と窓が閉まっていては、風が吹いても中に入ってくることができません。ですので、謙虚な態度で扉と窓を開けるための全力の努力をして、風が吹いたときにお迎えできるようにしましょう。

謝辞

シュリー・グル・ババジと、私の師のマヘーシュワルナート・ババジによる祝福なくしては、私は瞑想について何も知ることができなかったでしょう。また、私に瞑想の妙理を教えてくれた数々の師たちにも、深く感謝いたします。

著者

シュリー・エム

Sri M

ヨーギー、教育者、ヨーガ指導者、作家、慈善事業家。地域住民に無償の医療と教育の機会を提供するサットサンガ・ファンデーション代表、全寮制の中高一貫校「Peepal Grove School」の代表を務める。1948年にインドのケーララ州でムスリームの一家に生まれ、幼い頃からヒンドゥーとイスラーム、その他の宗教の教えに強い関心を示し、様々な教師を訪ねる。ヨーガの世界に惹かれるようになり、19歳で家を離れて、ヒマラヤを旅する。洞窟で師マヘーシュワルナート・ババジと出会い、彼のもとで修行し、師の命で社会に戻り放浪期間を経てから編集者、記者として数年間勤めた後、ラーマクリシュナ・ミッションで僧として数年間を過ごす。20代後半でＪ・クリシュナムールティと出会い、クリシュナムールティ財団に勤める。それまでヒマラヤでの体験とヨーガの教えを人々に明かすことはなかったが、バンガロールの神智学協会での講演がきっかけとなり、活動を始める。その後に執筆された自叙伝（『ヒマラヤの師と共に―現代を生きるヨーギーの自叙伝』蓮華舎刊）がインドのベストセラーとなり、海外に波及、活動も国内及び欧米諸国にも広がっていく。2015年には分断と対立を深める国内外の状況を受けて、インド全土の7500キロを1年かけて歩く「Walk of Hope」を実施。各地で異なる宗教や民族間の対話、祈りの機会を提供する。現在も、彼の元に集まる求道者たちと共に、調和の中に生きる方法を探求している。国内外におけるサットサンガや講演活動、貧しい人々への食事の提供、教育の機会、無償の医療の提供等、様々な慈善事業を展開している。『Jewel In The Lotus』, 最新刊『On Meditation』 他、著書多数。

訳者

青木 光太郎

翻訳家。日本で生まれて高校まで日本で育つ。フリーマン奨学金を受けて、アメリカのコネチカット州にあるウェズリアン大学で西洋哲学を学ぶ。大学卒業後は投資運用会社のBlackRockの投資部門に勤務する。その後、教育、出版その他の職業や活動を経て、世界各地を放浪の後にインドに住む。現在は日本在住。

装幀
芦澤 泰偉

本文デザイン
児崎 雅淑
（芦澤泰偉事務所）

表紙写真
Satsang Foundation

Padma Publishing

オン・メディテーション
現代を生きるヨーギーの瞑想問答

2020（令和2）年10月20日　第1刷発行

著者
シュリー・エム

訳者
青木 光太郎

発行者
大津 明子

発行所
蓮華舎
Padma Publishing
〒102-0093
東京都千代田区平河町2-16-6 jeVビル
TEL：03-6821-0409
FAX：03-6821-0658
HP：https://padmapublishing.jp/

印刷・製本
株式会社シナノパブリッシングプレス

Printed in Japan ISBN978-4-910169-02-6 C0098